LA
VOILE

Couverture

- Maquette:
  MICHEL BÉRARD
- Photo:
  CHARLES CÔTÉ

Maquette intérieure

- Conception graphique:
  MICHEL BÉRARD

DISTRIBUTEURS EXCLUSIFS:

- Pour le Canada
  AGENCE DE DISTRIBUTION POPULAIRE INC.,
  955, rue Amherst, Montréal 132, (514/523-1182)
- Pour l'Europe (Belgique, France, Portugal, Suisse,
  Yougoslavie et pays de l'Est)
  VANDER S.A. Muntstraat, 10 — 3000 Louvain, Belgique
  tél.: 016/204.21 (3 lignes)
- Ventes aux libraires
  PARIS: 4, rue de Fleurus; tél.: 548 40 92
  BRUXELLES: 21, rue Defacqz; tél.: 38 69 73
- Pour tout autre pays
  DÉPARTEMENT INTERNATIONAL HACHETTE
  79, boul. Saint-Germain, Paris 6e, France; tél.: 325.22.11

Nik Kebedgy

LA VOILE

LES ÉDITIONS DE L'HOMME

CANADA: 955, rue Amherst, Montréal 132
EUROPE: 321, avenue des Volontaires, Bruxelles, Belgique

Sommaire

Préface

Plus de trente années de pilotage représentent une garantie digne de la plus grande confiance; ce n'est donc pas par hasard que les Editions de l'Homme ont confié la rédaction d'un livre sur la voile à NIK KEBEDGY, culturiste, naturiste, professeur de culture physique, physiothérapeute, skieur averti. athlète complet et "skipper" hors pair.

Nik Kebedgy était l'auteur rêvé pour guider les gens de tout âge désireux de se familiariser avec ce merveilleux sport qu'est la voile.

Louis Arpin,
directeur de la collection Sport
aux Editions de l'Homme

Chapitre I

INTRODUCTION

Il était un petit navire ! . . .

Ce petit navire, n'a-t-il ja . . . jamais navigué, ou au contraire, a-t-il beau . . . beaucoup bourlingué?

Il n'en dépend que de vous, ami lecteur. Car le petit navire en question, ce n'est pas un mythe, ce n'est plus un rêve, c'est un voilier qui existe, le vôtre, celui que vous avez déjà, ou celui que vous allez acheter ou construire.

Vous qui rêvez de faire de la voile, sans dépendre des invitations d'autrui, pourquoi ne serait-ce pas votre tour d'avoir *votre* bateau, de le lancer quand et où cela vous chante, d'inviter vos amis à son bord, d'organiser *vos* croisières, ne fussent-elles que de quelques jours?

Et comme tant de gens l'ont dit avant vous lors des expositions nautiques ou aux abords des clubs de voile, vous pensez: «Puisque j'en ai envie, je vais voir ce que c'est, moi aussi! A entendre ceux qui en parlent avec enthousiasme, cela ne doit pas être tellement chinois! On verra bien si cela me plaît ou non!»

Mais le yachtman d'expérience que vous consultez répond: «Attention, l'ami, ne te demande pas si tu vas aimer la voile! C'est un virus que tu vas attraper pour le restant de tes jours! Non pas un virus qui va affecter ta santé, mais une sorte de maladie heureuse dont tu ne pourras plus te passer. C'est un monde aux mille facettes qui ne cessera de te fasciner, de t'ensorceler au point de te rendre frustré et malheureux lorsque tu seras privé, même pour peu de temps, de la compagnie muette mais si expressive de ton camarade flottant.»

Aïe! Voilà qui est sérieux et demande réflexion avant de se faire prendre au piège! Mais au fait, comment un sport peut-il devenir un piège, à moins de ne pas vouloir l'abandonner?

Parce que la voile n'est pas un sport ordinaire ou un simple loisir. C'est bien plus que cela. Jugez-en.

Quel sport peut-on pratiquer, avec le même enthousiasme aussi bien en dilettante qu'avec toutes les émotions de la compétition?

Quel autre moyen d'évasion permet de sortir en peu de temps du train-train quotidien, de la pollution, de l'encombrement des routes, des hôtels et des plages, tout en restant à portée de la civilisation si l'on y tient, ou au contraire en la quittant pour des jours ou des semaines? (*fig. 1*) Il y a bien le planeur et la haute montagne. Mais pouvez-vous y emmener famille ou amis, et y vivre confortablement?

Et quels sports *non bruyants* vous permettent d'étudier et d'appliquer les dernières découvertes de la science dans le domaine des matériaux légers et résistants, de l'aérodynamique et de l'hydrodynamique, et de vous déplacer en n'utilisant que le vent?

A notre époque où tant de gens souffrent de troubles de l'ouïe ou des nerfs à force de bruit, n'est-ce pas le meilleur antidote à ce que l'on pourrait appeler un des côtés négatifs et abrutissants de la civilisation?

Autre agrément positif: *la beauté d'un voilier.* Idée subjective? Complexe de supériorité de celui qui ne voit de beau que ce qu'il aime? Ecoutons alors les «neutres», ceux qui ne font pas de voile.

Qu'on soit enfant ou adulte, homme ou femme, qu'entend-on lorsqu'apparaît un voilier, sur l'eau ou sur un écran? «Oh! regarde le beau bateau!» Et bien souvent ce cri du cœur se prolonge d'un soupir envieux: «Que j'aimerais donc être dessus!»

Ce cri du cœur, c'est la motivation de la plupart des amateurs de voile. Mais le fait d'être attiré par la voile de plaisance ne prouve pas qu'on soit immédiatement en mesure d'en retirer tout le plaisir et les avantages attendus.

Fig. 1   Quel autre moyen d'évasion permet de sortir de l'encombrement des villes?

Car, contrairement à la plupart des sports qui ne demandent que quelques heures d'entraînement physique pour se pratiquer sinon avec brio, du moins dans des conditions agréables, la voile n'admet pas de demi-mesures, ni de cafouillage.

Si vous perdez une partie de tennis, une manche de judo ou faites une chute en ski ou en vélo, vous en êtes quitte pour recommencer et essayer de faire mieux.

Mais si vous sortez à voile sans entraînement suffisant, sans un minimum de connaissances du vent, du bateau, des manœuvres, de la sécurité nautique et de la météorologie, vous pourrez (peut-être) passer un bel après-midi d'été sans incident notable; mais il y a beaucoup plus de chances pour que les embêtements surgissent et se succèdent à une cadence de réaction en chaîne, avec dégâts ou blessures plus ou moins graves, à vous ou à d'autres.

Voile de plaisance qui peut devenir bien déplaisante!

Loin de moi l'idée de ternir l'image que nous donnent photos et réclames de belles filles bronzées se prélassant sur des ponts secs ou jouant au mannequin près du gréement! Qu'on sache seulement que la voile, c'est autre chose! *(fig. 2 et 2A)*

Fig. 2   Se prélasser à voile est agréable . . .

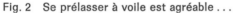

Fig. 2A . . . Mais il y a aussi autre chose: l'action!

Ce n'est certes pas toujours une lutte contre les éléments, mais l'eau et le vent ont des caprices et des lois qu'il faut connaître et dont il faut savoir tenir compte. Ceux qui ne voient que nonchalance à bord d'un voilier ne sont jamais sortis par bonne brise . . .

La voile est une école de sang-froid et d'humilité, d'initiative et de réflexion, de débrouillardise et de technique. C'est un sport d'action mais c'est aussi un *art*.

Condenser cet art en un petit livre est aussi impossible que de résumer la musique symphonique en quelques lignes. Mais pour les néophytes comme pour les navigateurs d'expérience, la voile offre cependant un bon nombre de sujets d'intérêt qu'on peut mettre en relief dans un livre condensé.

Pour les uns comme pour les autres, il peut être intéressant de souligner non seulement les grandes lignes, mais certaines subtilités d'un sport qui devient vite un engouement, une véritable passion.

Connaître les raisons et les finesses de cette passion, c'est lui permettre de durer, et aussi de comprendre le désir, le besoin qu'ont vos enfants, vos neveux, certains de vos amis, d'y céder.

A la voile comme dans tout art, il y a mille manières de faire, dont beaucoup sont bonnes, et d'autres ... moins bonnes ou mauvaises.

Bien des livres ont été écrits sur le sujet, mais il me semble que trop souvent on reste confiné aux conseils rudimentaires destinés aux débutants, ou qu'au contraire on se lance dans des considérations techniques qui ne sont accessibles qu'aux régatiers.

A écouter certains de ceux-ci, on pourrait croire que pour faire de la voile, il faut être ingénieur ... ou acrobate.

Or, si tout débutant est un amateur de croisière ou un régatier en puissance, il faut se rappeler que nombreux sont les amateurs de voile qui ne souhaitent qu'une chose: barrer avec assurance et plaisir, en évitant de se faire traiter de «cafouilleux!»

D'autant plus que de sport «sélect» qu'elle était autrefois, la voile s'est maintenant répandue dans toutes les couches de la société.

Est-ce par atavisme, par goût de l'aventure ou par réaction contre le coût toujours plus élevé des bateaux à moteur? Ce sont probablement ces trois raisons qui ont valu à la voile un essor sans précédent, au Canada comme ailleurs.

De nouveaux clubs se forment, les clubs existants voient monter en flèche le nombre de leurs voiliers, et même dans des coins reculés, souvent dépourvus de plans d'eau importants, d'innombrables amateurs, solitaires mais «mordus», construisent, achètent ou essaient toutes sortes de voiliers. Les uns ne quitteront jamais leur rivière ou leur lac, d'autres empruntent le Saint-Laurent pour se rendre jusqu'aux Grands Lacs ou jusqu'au Golfe du Saint-Laurent, d'autres enfin, plus près de la mer, feront de la croisière côtière ou entreprendront même de longues traversées.

Mais tous, du plus paisible plaisancier au plus frénétique régatier, découvriront avec joie qu'à naviguer à voile on ne fait pas que se délasser, se promener ou se livrer à la compétition sportive.

Ils découvriront qu'un voilier est un objet d'attachement, de soins, et même d'amour, qui se compare à un être humain. Il a sa personnalité, ses besoins ... et aussi ses caprices.

Apprendre à les connaître et à en tirer parti, c'est se préparer des joies incomparables et *se cultiver soi-même*. Les ignorer, comme le font les barbares pour qui un bateau est simplement un véhicule ou une villa sur l'eau, c'est se préparer des déboires, des incidents et des accidents avec tous les dangers que ceux-ci comportent. C'est souvent aussi obliger des aides ou des sauveteurs bénévoles à s'exposer inutilement. En un mot, vouloir faire de la voile sans chercher continuellement à s'instruire et à éviter les erreurs, c'est agir *en ignorant et en égoïste*.

Or, dans le monde, c'est une grande famille que forment les amateurs de navigation de plaisance. Contrairement à certaines familles dont les membres n'ont souvent en commun que les liens du sang, et finissent par se perdre de vue, la famille du yachting a des liens étroits. C'est en quelque sorte une confrérie, une tribu.

Au point qu'un yachtman qui entre pour la première fois dans un club nautique étranger s'y trouvera souvent plus à l'aise que s'il rendait visite à un parent dont les goûts, les aspirations et les habitudes peuvent être à l'opposé des siens.

Certains préjugés (et certains entêtés) contribuent bien encore à maintenir une cloison entre le yachting à voile et le yachting à moteur, mais cette cloison est de moins en moins étanche, et les différences de bateau, de sang et même de race se confondent en un amour commun de l'eau, de la brise et du goût de l'aventure

La vogue du voilier à moteur auxiliaire a resserré les liens entre les extrémistes de la plaisance et il est de plus en plus courant de passer du dériveur à la maison flottante, du cruiser au voilier auxiliaire, et vice versa.

Mais, comme dans toute société, il faut avoir fait ses preuves pour être respecté et faire graduellement partie de cette élite que forment les «vieux de la vieille», les seuls qui seront rejetés sont ceux qui s'imaginent qu'il suffit de se payer un bateau et de se coiffer d'une casquette de yacht-man, pour être un vrai navigateur. Ici comme dans d'autres domaines, «l'habit ne fait pas le moine!»

A y regarder d'un peu près, vous constaterez même qu'un certain nombre de navigateurs de plaisance endimanchés ne connaissent guère les termes et les manœuvres les plus élémentaires, tandis que beaucoup d'experts n'ont jamais d'autres vêtements d'apparat que leur ciré *(fig. 3)*.

Ce sont précisément ces termes et ces manœuvres élémentaires que vous trouverez décrits dans ce livre. Vous en connaissez sans doute plusieurs, mais peut-être pourrez-vous tirer profit des conseils sans prétention qu'une certaine expérience me permet de vous donner.

Enfin, souvenez-vous que si on achète souvent un livre pour soi-même, on pense aussi parfois à l'offrir ... Dans ce cas, pensez à votre équipier, à un membre de votre famille, ou à un ami. Vous ferez peut-être un «mordu» de plus!

Fig. 3 Beaucoup d'experts n'ont d'autres vêtements d'apparat que leur ciré.

Chapitre II

ÉVOLUTION DE LA VOILE

La mer, qui fut le premier moyen de communication entre les peuples éloignés et qui reste encore aujourd'hui le moyen de transport le plus économique pour les longues distances, fut toujours appréciée non seulement pour les services qu'elle pouvait rendre, mais aussi pour ses charmes.

Très tôt, les hommes virent en elle une source de plaisir en même temps qu'une voie ouverte à leur négoce. Et ni les tempêtes, ni l'inconnu, ni les dangers multiples qui guettent les navigateurs n'empêchèrent ceux-ci de chercher à dompter ces éléments aussi fantasques que pleins d'imprévus que sont l'eau et le vent.

C'est ainsi que toutes les civilisations antiques connurent non seulement la navigation comme moyen de transport mais aussi le yachting de plaisance. On en retrouve des traces jusque sur les plus anciens monuments et dans les œuvres des premiers poètes.

Donnez à un gamin une feuille de papier, un petit bâton et un morceau de bois; mettez-le devant un étang avec cela, et il vous fera aussitôt un bateau. Il fera un trou dans le morceau de bois, y enfilera le bâton et fixera à celui-ci le papier qui aura la forme d'une voile carrée. Le bateau sera lancé du côté de l'étang d'où vient le vent, voguera jusqu'à l'autre bord et sera ramené de l'autre côté s'il veut recommencer *(fig. 1)*.

De même, le premier homme qui songea à se servir d'une voile se construisit très probablement un radeau, y mit un mât et la seule direction qu'il put suivre fut celle du vent.

Le premier bateau à voile qu'on ait pu connaître est celui qu'on trouva peint sur un vase égyptien trouvé dans la vallée du Nil, et datant d'environ 6,000 ans avant J.C. Vous voyez que ce n'est pas d'hier!

Fig. 1 Donnez à un gamin une feuille de papier, un petit bâton et un morceau de bois, il en résultera ceci.

Bien que la coque en soit un peu mieux construite qu'un simple radeau, la voile était une voile carrée très semblable à celle que se taille grossièrement le gamin d'aujourd'hui *(fig. 2).*

Il faut noter ici qu'un tel bateau était parfaitement adapté aux conditions de navigation du Nil. Tellement bien adapté que pendant des siècles aucun changement de construction important ne se fit.

Le Nil, en effet, coule du sud au nord, et se jette dans la Méditerranée. Or le vent dominant vient du nord, donc exactement dans le sens contraire du courant. Quoi de plus facile alors que de laisser le bateau descendre le courant en ne le dirigeant qu'au moyen d'avirons, et de le faire remonter vent arrière, au moyen de la voile carrée?

Aujourd'hui encore, on voit le même système utilisé sur l'Irawadi, en Birmanie, par les jonques birmanes qui sont des répliques parfaites des premiers bateaux égyptiens *(fig. 3).* Les conditions de navigation sont, là-bas, exactement les

Fig. 2 Gréement primitif.
Fig. 3 Gréement de jonque.

mêmes: le vent dominant soufflant en sens inverse du courant *(fig. 3)*.

Les voiles carrées restèrent longtemps les seules en usage, même après l'introduction par les Arabes des premières voiles dites «latines» *(fig. 4)*.

Celles-ci avaient un avantage très net sur les voiles carrées; elles permettaient en effet de remonter un peu le vent, c'est-à-dire de prendre le vent de quelques degrés en avant de la perpendiculaire au bateau, qui est la direction du vent de travers. Mais les longues vergues qui les soutenaient étaient d'un maniement très malcommode et ne permettaient guère un réglage fixe. Les voiles carrées au contraire, avec leurs vergues solidement fixées par tous les points possibles, permettaient un meilleur réglage et, bien qu'elles ne fussent guère efficaces contre le vent, elles pouvaient être installées en grand nombre et donner ainsi une meilleure

Fig. 4   Voile latine d'un boutre arabe.

vitesse par vent favorable. Cette expression: «vent favorable», c'est-à-dire venant du quart arrière, se retrouve dans tous les récits de voyages des premiers explorateurs à voile *(fig. 5)*.

Il faut nous dire qu'à cette époque, c'est-à-dire au Moyen Age, on avait plus de temps à perdre qu'aujourd'hui, et que, d'autre part, presque tous les voyages étaient prévus de manière à profiter des vents dominants. On n'essayait guère de remonter le vent, car les coques s'y prêtaient mal. La dérive latérale était telle que le peu de chemin gagné contre le vent était amplement reperdu en dérive. On préférait alors, soit faire ramer les galériens, soit faire escale et attendre les vents favorables qui permettaient bien souvent de regagner le temps perdu.

Ce ne fut que beaucoup plus tard, lorsque les pirates se mirent à infester les mers, que l'on songea à améliorer les

Fig. 5   Les voiles carrées pouvaient s'étaler sur les mâts, mais n'étaient efficaces que par vent "favorable".

voilures pour gagner de la vitesse et échapper aux poursuivants.

Les flottes de guerre, elles aussi, évoluèrent et adoptèrent la voile: partiellement d'abord, puis totalement, éliminant ainsi les galères de célèbre mémoire.

On inventa alors les voiles *auriques* de forme trapézoïdale *(fig. 6)* dont un côté est fixé au mât au moyen d'anneaux, et dont la partie supérieure est maintenue par une pièce de bois, *le pic ou la corne,* tandis que la partie inférieure est fixée à un gui, ou bôme.

Ces voiles représentaient un immense progrès, car elles permettaient de remonter le vent plus près qu'on ne l'avait jamais fait. On fit alors des coques en conséquence, c'est-à-dire construites de manière à éviter la dérive latérale. On supprima les châteaux arrière et autres poéminences qui encombraient les ponts. C'étaient les premiers pas, bien timides encore, mais qui devaient devenir décisifs, de l'aérodynamisme.

Le problème n'était plus seulement de recevoir le vent par l'arrière dans des voiles aussi grandes, aussi nombreuses, et aussi gonflées que possible, mais de le faire glisser le long de voiles plus tendues et de coques plus lisses.

Vers le milieu du siècle dernier, la navigation à voile subit un temps d'arrêt, une sorte de point mort pendant lequel il n'y eut plus de progrès. Ce temps d'arrêt fut causé par l'arrivée d'un concurrent redoutable, qui devait par la suite éliminer entièrement toute la navigation à voile commerciale et militaire: le bateau à vapeur, puis à moteur.

En quelques décades, la mécanique donna le coup de grâce aux grands voiliers, aux frégates, aux clippers de toutes sortes qui avaient fait la gloire de tant de marines. Dès lors, il ne restait plus que la navigation de plaisance qui pouvait consacrer du temps et de l'argent à faire de nouvelles expériences. L'étroite parenté que l'on découvrit entre l'aile d'un avion et la voile fit lancer, pour ainsi dire, la mode des voiles triangulaires bien connues de tous.

Fig. 6   Gréement aurique.

Ce n'est d'ailleurs pas seulement une mode, mais le résultat de longs, patients et savants calculs qui nous ont amenés bien près de la perfection, tout au moins par rapport à notre conception actuelle de l'utilisation du vent *(fig. 7)* (Gréement Marconi ou Bermudien).

D'autre part, beaucoup de changements se font et se feront à la lumière des dernières découvertes, en particulier dans l'utilisation de certains nouveaux matériaux de construction comme les plastiques, la fibre de verre et les contreplaqués, solides, légers et imputrescibles, le rêve de tout constructeur.

Pendant des siècles, on a cherché à empêcher le bois et la toile exposés à l'eau de pourrir. Ce n'est que depuis quel-

Fig. 7 Gréement Marconi moderne.

ques années que l'on a mis au point des produits réellement efficaces. De plus, les voiles et les coques sont maintenant presque toujours faites de produits synthétiques, ce qui révolutionne complètement les modes de fabrication ordinaires et permet souvent aussi de changer non seulement la forme, mais aussi le maniement des agrès.

Nous sommes en pleine période de progrès mais, malgré le coût plutôt élevé du matériel, il y a encore moyen, même pour les bourses modestes, de se livrer aux joies du yachting.

Chapitre III

LE RÈGNE DU YACHTING

Même si la navigation de plaisance ne date pas d'hier, le yachting au sens où nous le comprenons aujourd'hui est de conception relativement récente.

Le mot *yacht,* que beaucoup croient d'origine anglaise, vient en réalité du hollandais *jaghte,* devenu *yacht.* Or le hollandais, ou plus exactement le néerlandais (qui comprend aussi le flamand, parlé en Belgique) dérive du bas-allemand ou platt-deutsch. Le verbe allemand *jagen* (chasser) a donné en néerlandais le mot *jaght scheep,* qui désignait autrefois un bateau destiné à la chasse des contrebandiers et des pirates.

Le premier *yacht* dont il soit question dans l'histoire doit sa célébrité aux circonstances suivantes: Charles Stuart (Charles II) craignant que Cromwell ne fasse que très peu de cas de sa personne, préféra se réfugier dans le royaume voisin de Hollande.

Pendant son exil, il allia son amour de la mer au fait que la Hollande avait à ce moment une grande quantité de bateaux, pour se livrer aux plaisirs de la voile sur le Zuider Zee, (aujourd'hui asséché) en compagnie de ses amis hollandais *(fig. 1).*

Ce divertissement lui était devenu si cher que lorsqu'il remonta sur le trône en 1661, la Compagnie Hollandaise des Indes lui remit en souvenir un de ses petits *jaghts* rapides, qui portait le nom de «Mary» et que les Anglais appelèrent *yacht.*

C'est alors que le roi Charles, le duc d'York et de nombreux amis se livrèrent aux premières courses ou régates, avec des yachts qui n'étaient en somme que des modèles plus réduits ou plus raffinés des grands voiliers marchands de l'époque.

Fig. 1 Type d'action voilier hollandais (boejer) à dérives latérales.

Les Grecs avaient, les premiers, popularisé la course à pied et les autres disciplines de l'athlétisme. Il était normal que les Anglais, grands marins et propagateurs des sports dans le sens moderne, fussent les premiers à introduire les courses à voile! Les pirates et les corsaires de tous les pays les avaient bien précédés en matière de course à voiles, mais on conviendra que ces poursuites suivies d'abordages et de massacres n'étaient pas ce qu'on appelle aujourd'hui du *yachting!*

LES USURPATEURS

Depuis lors, le mot *yacht* a cessé d'être anglais pour devenir universel. Mais sa véritable définition n'est sentie que par les amateurs de voile.

En effet, il est courant, de nos jours, d'appeler «yacht» n'importe quel bateau de plaisance, le sens de la récréation sur l'eau ayant remplacé le sens du voilier de plaisance à l'exclusion des autres genres de bateaux. Du hors-bord pétaradant et nauséabond aux gros «cruisers» de luxe, c'est à qui aura une embarcation quelconque qu'il appellera pompeusement *yacht*, pour épater les jolies filles qu'une promenade sur l'eau a toujours attiré, comme on le sait, depuis des temps immémoriaux . . .!

Mais les gens de la voile ont bon coeur. S'ils se sont laissé voler le mot «yacht», ils savent quand même reconnaître du premier coup d'oeil et à la première manoeuvre celui qui prétend être un «yachtsman» de celui qui a réellement fait de la voile!

Après tout, le yatching est et reste le seul sport, avec le ski et le vol à voile, où il soit possible de faire une certaine vitesse sans l'aide du moteur, ce tyran de notre existence moderne. Alors, il n'est pas étonnant, n'est-ce pas, qu'on soit heureux de son absence pour oublier le bruit inharmonieux des autres moyens de locomotion!

Qu'un bateau de croisière soit à la rigueur muni d'un moteur auxiliaire pour le rendre plus manoeuvrable au port ou lui permettre de remonter les courants ou les marées difficiles, soit! Mais la voile reste tellement l'essence de la navigation que dans toutes les académies navales du monde on fait faire aux élèves officiers un assez long stage sur des voiliers petits ou gros, même s'ils devront plus tard faire toute leur carrière dans des sous-marins ou sur des cuirassés!

De plus, la plupart des marins et des aviateurs sont instruits dans l'art de faire naviguer à voile un bateau ou un radeau de sauvetage. Preuve que la voile aura encore longtemps son mot à dire, ne fût-ce que pour sauver sa peau d'un désastre . . .

PLAISANCE ET RÉGATE

Les amateurs de voile, tout unis qu'ils soient par leur amour du vent et leur art délicat de régler leurs voiles pour aller d'un endroit à un autre, sont cependant divisés en deux catégories bien distinctes, quoique non fermées l'une à l'autre: *les plaisanciers et les régatiers.*

Les plaisanciers sont ceux qui aiment avant tout dans la voile les croisières, les sorties d'après-midi ou de fin de semaine, la vie sur l'eau, les explorations et les réunions d'amis à bord. Ce sont les dilletantes du yachting, qui font de la voile comme les anciens champions cyclistes font du tourisme en vélo pour vaincre l'ankylose, ou les golfeurs qui tapent sur leur balle pour le seul plaisir de marcher en plein air *(fig. 2)*. Que leur bateau soit bien construit, confortable, assez lourd et lesté pour résister aux plus fortes lames, qu'ils aillent n'importe où pourvu qu'il y ait de bons mouillages tranquilles, du ravitaillement facile et du beau temps, et les voilà heureux comme des coqs en pâte.

Sur terre ils seraient campeurs, amateurs de «portage», ou simplement pique-niqueurs. Sur l'eau, ils font de la voile un passe-temps, une vie qui les change de la vie à terre et nourrit aussi bien leurs rêves que leur philosophie. Ils connaissent leur bonheur et le veulent simple, car toute idée de raffinement pourrait troubler cette quiétude à laquelle ils tiennent par-dessus tout.

Fig. 2 Les plaisanciers sont les dilletantes du yachting.

LES RÉGATIERS

Les régatiers, eux, sont des sportifs de compétition. Non satisfaits d'avoir des bateaux qui tiennent bien la vague, ils les veulent réglés, équipés et construits de manière à en tirer non seulement le maximum de vitesse possible pour un vent de force donnée, mais aussi très manoeuvrables, nerveux, prompts aux commandes, sensibles à la moindre brise.

Mais ne devient pas régatier qui veut! Il faut en effet, pour aimer la régate et s'y qualifier, accepter beaucoup de discipline, connaître et observer des règlements de course qui sont une véritable jurisprudence, avoir le respect des traditions, une endurance musculaire et nerveuse à toute épreuve (les régates par temps calmes sont souvent aussi épuisantes que celles disputées par gros temps) et surtout ne jamais se lasser de régler, ajuster, corriger les moindres détails (et ils sont nombreux) qui peuvent influencer de quelque façon sur la marche du voilier *(fig. 3)*.

Fig. 3   En régate, les réglages sont fréquents et précis.

Ce souci de réglage constant et minutieux, méticuleux même, se traduit fort bien dans l'expression que l'anglais est seul à avoir: «tune-up» et qui s'applique aussi bien à un voilier qu'à un violon.

Alors que le plaisancier pourrait se comparer à un violoniste d'orchestre, qui se contente d'exécuter consciencieusement sa partition pour le goût de l'art et le plaisir de faire de la musique, le régatier est semblable au soliste qui se donne corps et âme à son concert et en fait une véritable apothéose.

Il en sort souvent épuisé, avec la nette impression que d'autres ont déjà fait aussi bien que lui, mais il ne cessera de recommencer, car toute sa vie est dans son instrument et dans l'extase de l'harmonie qu'il en tire.

C'est dans le même état d'esprit que l'attention du régatier se concentre, que ses muscles se bandent, que ses décisions se font à une cadence d'éclair. Le vent étant capricieux, il s'agit de s'adapter continuellement à ses sautes d'humeur si l'on veut faire mieux que le voisin, et d'interpréter avec un maximum d'art cette symphonie des éléments dont la partition varie avec chaque course ...

Dans toute régate, il existe toujours un certain élément de chance (ou de malchance), du fait que les changements dans la force et la direction du vent ne sont pas toujours prévisibles, mais à la longue l'habileté et la science des équipages permettent de se distinguer, tandis que les plus petites erreurs pourront faire perdre plusieurs longueurs de bateau en quelques secondes (fig. 4).

Lorsqu'on se promène, perdre un peu de temps, trop dériver ou mal exécuter ses virages ne tire guère à conséquence, mais lorsque les manoeuvres manquent de précision à proximité d'un quai, d'un autre bateau ou d'une écluse, cela peut devenir plus hasardeux ...

Ainsi donc, même si vous ne projetez pas de régates prochainement, prévoyez qu'un jour viendra (peut-être plus tôt que vous ne le pensez!) où vous aurez, vous aussi, envie de vous mesurer aux autres. Et vous verrez que de savoir

Fig. 4   Les effets d'une manoeuvre ratée.

barrer un voilier en finesse et avec science vous procurera une satisfaction incomparable.

C'est un peu le même plaisir qu'éprouve un cavalier à monter et à dresser un fringant coursier, même s'il ne participe à aucun concours.

Chapitre IV

VOTRE PREMIER VOILIER

A première vue, il semblerait logique de vous initier avec un tout petit voilier, léger, peu encombrant, au gréement simple, facile à transporter et à manier.

Ces considérations conviennent évidemment à un budget initial restreint, mais en réalité le problème se pose de manière fort différente.

Il y a d'abord le problème *confiance:* si l'on commence à faire de la voile avec un bateau très petit, c'est-à-dire avec un dériveur de 8 à 15 pieds [2,5 m à 4,5 m], on s'aperçoit vite que la dérive (1) n'a pas la valeur d'une quille profonde pour la stabilité et que son poids est insignifiant pour redresser le voilier dans les coups de vent et même par brise de force moyenne.

L'équilibre sous voiles sera donc obtenu par la position du barreur et de son équipier, position qui devra être sans cesse modifiée selon les variations de force du vent et les virements de bord.

C'est parfait si on est très jeune ... et un peu acrobate. Mais si on n'est pas encore très brave (ça viendra) ou si les réflexes sont encore un peu lents (pour les aiguiser, c'est du calme qu'il faut, et non de l'énervement!), il sera bien préférable d'avoir un dériveur plus grand, c'est-à-dire de 16 à 22 pieds [5 m à 6¾ m], dans lequel le barreur et les équipiers pourront se déplacer sans être limités au rôle un peu ingrat de «ballast mobile instantané»!

---

(1) *Dérive:* Sorte de quille mobile pivotant ou coulissant dans un puits généralement central, et destinée à empêcher le dérapage latéral, qui s'appelle, lui aussi, *dérive!* Curieuse manière de nommer une chose du nom de ce qu'elle est précisément destinée à empêcher! Je n'y puis rien! Heureusement ce genre de paradoxe est plutôt rare dans le vocabulaire nautique!

Mieux encore, un voilier à quille profonde, c'est-à-dire muni d'un lest fixe, situé le plus bas possible sous la flottaison, pourra prendre une forte *gîte* (inclinaison de côté) sans jamais chavirer.

Vous aurez toujours le temps de donner le coup de barre ou de relâcher les voiles à temps, évitant ainsi d'embarquer des paquets d'eau dans le cockpit ou la cabine. Car si un voilier à quille ne chavire pas, il n'aime pas se faire remplir d'eau!

Même avec un cockpit étanche, l'eau entrant en cascades lors d'une gîte trop prononcée peut ne pas s'écouler assez vite, ou envahir la cabine et enfoncer le bateau suffisamment pour lui faire perdre sa flottabilité... et le faire couler.

Mais pour en arriver là, il faut vraiment des circonstances exceptionnelles: grossière négligence, barre amarrée, voiles gardées serrées trop longtemps, tempête affrontée avec trop de voilure, etc...

Avec un petit dériveur par contre, les occasions de chavirer sont très nombreuses: chaque coup de vent, chaque changement brusque de position du barreur ou de l'équipier peut déséquilibrer le bateau en un clin d'oeil et le faire gîter en dépassant le point de redressement.

Néanmoins, si vous êtes jeune et surtout très leste, vous pourrez tout de même vous initier à la voile sur un dériveur léger avec assez de plaisir (tout en étant prêt à chavirer, précisément pour apprendre à ne plus le faire!).

Ce petit voilier sera du genre de ceux qu'on emploie dans les écoles de voile *(fig. 1)*.

L'équipement que vous pourrez emporter avec vous sera réduit à sa plus simple expression, autrement dit à l'équipement de secours obligatoire: pagaie, ancre et câblot.

Vous trouverez sans doute le moyen d'amarrer quelque part un sac imperméable contenant un chandail épais, un blouson (au cas où vous ne l'auriez pas sur vous au départ), quelques outils et cordelettes et ce sera à peu près tout. Vous n'aurez ainsi pas grand-chose à perdre en cas d'incident.

Fig. 1   Un bon dériveur léger: le 470.

Si par contre vous aimez une certaine stabilité ainsi que la plus grande sécurité qu'elle comporte, pour pouvoir emmener par exemple des gens un peu plus craintifs sans leur donner la frousse à chaque risée, vous serez plus heureux sur un voilier un peu plus grand, soit un *dériveur lesté*, c'est-à-dire muni d'une quille peu profonde, à travers laquelle passe la dérive, soit un voilier à quille fixe, qui grâce à son faible tirant d'eau permet d'explorer des criques ou des anses, d'y accoster ou tout au moins d'y ancrer assez près du rivage, tout en louvoyant dérive baissée dès que la profondeur de l'eau le permet. De plus, sa cabine peut déjà être assez confortable *(fig. 2)*.

Mais comme on ne peut avoir tous les avantages à la fois, le dériveur lesté, plus lourd et plus haut sous la ligne de

Fig. 2   Un dériveur lesté ou quillard à faible tirant d'eau: Le Tanzer 22.

flottaison que son homonyme léger, sera plus difficile à sortir de l'eau et à lancer; on devra donc disposer d'une remorque et d'un ber beaucoup plus gros pour les déplacements par la route. Il y aura avantage à rester à l'ancre ou à quai pour la saison, comme on le fait avec les voiliers à quille fixe.

Si vous pouvez mouiller en eau profonde, le voilier lesté (à quille profonde), de 16 à 25 pieds [5 à 7,5 m], vous donnera non seulement la sécurité et la liberté de mouvements à bord, mais aussi plus de confort.

La cabine, même petite, vous permettra de garder à bord de quoi cuisiner, vous habiller, dormir, en un mot vivre assez à l'aise.

Le tirant d'eau que vous pourrez vous permettre sera déterminé par les plans d'eau sur lesquels vous comptez naviguer. En effet si le Bas-Saint-Laurent, la mer, les Grands Lacs, le lac Champlain, le lac Saint-Jean et certains autres lacs permettent de longues balades et même des croisières en eau profonde, il n'en est pas de même des lacs de la région de Montréal et d'un grand nombre de petits lacs et rivières tributaires du Saint-Laurent, où un tirant de 5 pieds [1,5 m] ou plus limite vraiment trop le rayon de navigation.

Vous vous contenterez donc d'un tirant d'eau de 3 à 4½ pieds [0,90 à 1,40 m] ce qui mettra déjà à votre portée toute une gamme de voiliers dont ceux de plus de 22 pieds [6,70 m] ont déjà beaucoup d'espace intérieur: 3 à 4 couchettes, toilette séparée, cuisinière et évier, armoires, etc., tandis que les plus petits ont généralement un habitacle étanche où il est possible de popoter et de dormir plus à l'abri que dans un cockpit abrité d'une bâche.

Par beau temps le cockpit abrité se transforme facilement en salle de séjour assez agréable et offre des nuits fraîches à ceux qui aiment dormir en se faisant ventiler.

Par pluie battante, grand vent ou orage, cependant, le cockpit peut devenir parfaitement détestable, même avec les toits et panneaux de plastique modernes qu'on peut lui adapter.

Fig. 3   Le Shark, quillard de 24 pieds (7,31 m), excellent pour la régate et la petite croisière, avec hors-bord dans un puits.

Gardez donc cette solution comme supplément au manque de place! Autrement dit, prévoyez les aménagements intérieurs et le nombre de vos équipiers ou invités de croisière en fonction du nombre de couchettes disponibles.

Notons en outre que la très grande majorité des dériveurs lestés et des voiliers à quille de moins de 25 pieds [7,5 m] peuvent être équipés d'un moteur amovible, soit hors-bord, soit à l'intérieur d'un puits aménagé à l'arrière. Cette commodité, nullement indispensable pour faire de la voile, représente cependant un bon moyen de rentrer au port lorsque le vent tombe, de mieux manoeuvrer dans un port à oopaco restreint ou de passer des écluses sans transformer vos équipiers en galériens! *(fig. 3)*.

Enfin reste le grand voilier de plus de 25 pieds [7,5 m], toujours à quille et muni d'un moteur auxiliaire fixe, qui offre presque tout le confort désirable, mais qui, du fait de son volume et de son poids, est parfois un peu plus difficile à mener par un couple seul, surtout si les voiles sont grandes. Cependant, si vous avez la chance de pouvoir compter sur des équipiers entraînés, vivent les courses et les croisières! *(fig. 4 et 4A)*.

Mais un équipage presque toujours indispensable représente une servitude de plus pour organiser les sorties . . . Pensez-y!

Fig. 4   Un voilier de 33 pieds (10 m) à la fois confortable et rapide: le Bristol 33.

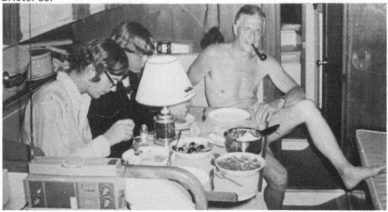

4A

Fig. 5 Type de sloop.

Fig. 6   Type d'ancien cotre.

6a

Fig. 7 Grand génois très débordant.

QUEL GRÉEMENT?

Le gréement le plus simple et le plus efficace est le gréement en *sloop (fig. 5)* dérivé du cotre *(fig. 6)*, celui-ci étant
un voilier à un seul mât et plusieurs focs appelés, dans
l'ordre, à partir du mât vers l'avant: trinquette, grand foc,
petit foc, clinfoc, foc en l'air ou volant. Tous ces focs ont
graduellement disparu (de même que le boute-hors qui pro-

Fig. 8 Le petit génois du Flying Dutchman.

longeait la proue) pour être remplacés par une seule voile
d'avant, la trinquette, toujours hissée en dedans de tous
étais, et qu'on appelle *foc.*
Celui-ci peut varier de forme, allant du très petit foc, coupé
plat et appelé tourmentin (pour le gros temps) à l'immense
foc de Gênes ou génois, coupé très creux, et débordant très
loin vers l'arrière de la grand-voile *(fig. 7).*

Le foc le plus pratique pour le débutant est le petit génois
(fig. 8) qui ne déborde vers l'arrière qu'un peu en arrière
des haubans, ou encore le foc *bômé,* qui remplit juste le
triangle avant, jusqu'à la hauteur de l'étai inférieur, et qui
se borde (se règle) par une seule écoute *(fig. 9).*

Fig. 9 Foc bômé.

Le principe du génois qui déborde vers l'arrière est l'application du principe de propulsion que nous décrirons au chapitre VIII, permettant donc un excellent louvoyage (remontée au vent).

Mais n'oublions pas que plus le foc est grand, plus forts devront être les bras et les winches (treuils) qui le hisseront et le borderont *(fig. 10)*.

Fig. 10 Plus le foc est grand, plus forts devront être les winches et les bras qui le bordent.

Par contre le foc bômé, moins efficace certes, sera plus docile à hisser, amener et border dans les coups de vent. Sur un petit voilier de plaisance, l'idéal est d'avoir et l'un et l'autre.

Le *spinnaker* est surtout une voile de course. Descendant du «foc-ballon», taillé très creux pour les allures portantes des premiers yachts, il a pris une forme de parachute au cours des dernières années, et le nylon lui a permis de devenir immense tout en restant très léger.

Quant à être maniable, c'est une autre question, qui dépend surtout de la force du vent et de l'habileté de l'équipage. Ce livre n'étant pas consacré à la régate, il peut sembler curieux d'y voir mentionner une voile qui ne semble pas concorder avec la simplicité de gréement recommandé plus haut.

Néanmoins, le spinnaker peut être utile aux plaisanciers expérimentés, car il anime singulièrement les parcours au vent arrière ou au largue. Que ces parcours ne soient que de simples retours de balades ou de croisières de fin de semaine, ou qu'ils fassent partie de croisières plus longues, le spinnaker ajoutera quelques nœuds de plus (et de la vie!) à des allures qui sont souvent monotones.

Son emploi pourra abréger considérablement la durée de certains trajets et, de ce fait, influencer l'horaire de toute une balade ou croisière. C'est ainsi qu'il pourra représenter la différence entre un retour au port, au coucher de soleil, ou au contraire reporté à tard dans la soirée ou la nuit, si la brise se fait désirer ou si le moteur fait une crise de mauvaise volonté!

A défaut d'équipiers spécialement assignés à manier (on pourrait presque dire «à mater!») le spinnaker, un couple pourra toujours apprendre à s'en servir par petite brise paisible, quitte à s'enhardir par brise moyenne lorsque la manœuvre sera devenue familière (voir chap. VXI).

Mais dès que la brise fraîchit à plus de 8 nœuds, ou même à 6 pour un dériveur léger, plus de spinnaker pour les débutants, même si on y a pris goût! En effet, le «spi» peut, en un clin d'oeil, faire preuve d'une force brutale insoupçonnée et provoquer de sérieux incidents *(fig. 11)*.

Comme on peut le constater au cours des régates, les meilleurs équipages ne sont pas exempts de ces incidents; mais alors qu'en compétition on «bouffe du lion» et on rugit quitte à se calmer après la course, en promenade ou en croisière, il vaut mieux éviter les occasions de s'énerver . . . ou d'énerver les autres! Vous ne pourrez pas toujours éviter les sautes de vent, mais au moins n'ayez pas à ce moment un spinnaker qui se fait un malin plaisir de démontrer qu'il a la force de quatre mules!

Fig. 11 En un clin d'oeil, le spi peut faire preuve d'une force insoupçonnée.

GRÉEMENTS DIVISÉS: KETCH - YAWL - GOÉLETTE

Sur les voiliers de plus de 25 pieds [7.5 m], les gréements divisés peuvent avoir certains avantages dont le principal est de pouvoir diviser la toile sans trop réduire leur force propulsive. Avec un sloop, le seul moyen de réduire la surface des voiles (surface vélique) est, lorsque la brise forcit, de *rouler* la toile de la grand-voile au moyen de quelques tours sur le gui et de choisir, dans le jeu des focs disponibles, celui qui permet de garder l'équilibre sous voiles.

Cet équilibre, soigneusement réalisé par le dessinateur du gréement lorsque la grand-voile est entièrement hissée, devient compromis lorsqu'il y a disproportion dans un sens comme dans l'autre:

1 — Le foc est trop petit par rapport à la grand-voile: le bateau devient trop *ardent,* c'est-à-dire cherche trop à monter dans le vent (du côté du vent), d'où freinage violent par le gouvernail et fatigue pour le barreur *(fig. 12).*

2 — Le foc est trop grand par rapport à la grand-voile (ou celle-ci est trop réduite par les tours de ris ce qui revient au même). Dans ce cas le bateau devient *mou,* c'est-à-dire cherche continuellement à s'éloigner du vent. La barre doit alors être décentrée, sous le vent, ce qui est également pénible et peut même devenir dangereux en retardant ou en empêchant des redressements dans les coups de vent.

Avec un gréement divisé, comme celui du *ketch, (fig. 13),* on peut diminuer la grand-voile et même s'en passer tout en marchant sous foc et artimon. Résultat: peu de toile en hauteur, peu de gîte, mais bon équilibre de marche, même à vitesse réduite; donc manœuvres facilitées en général et dans les ports en particulier.

Ce n'est donc pas pour rien que le gréement de ketch passe souvent pour le gréement idéal pour un couple seul ... et pour de nombreux navigateurs solitaires.

Fig. 12   Freinage inutile par le gouvernail (Foc trop petit ou pas assez bordé).

Fig. 13   Le ketch, gréement divisé, facile à manier.

Comme le ketch, *le yawl (fig. 14)* comporte aussi une grand-voile et une plus petite voile arrière appelée *tape-cul* (ne froncez pas les sourcils, néophyte puritain, c'est le nom officiel!). Mais alors que, dans le gréement de *ketch* le mât d'artimon est toujours placé *en avant de la barre,* il est en arrière de la barre dans le gréement du yawl, d'où le nom de «sloop à tape-cul» qu'on lui donne parfois. Le gui de cette voile d'arrière proémine souvent très loin au-delà de la poupe, nécessitant pour le manœuvrer un espar fixe appelé «queue de mulet», assez encombrant et souvent fragile.

Ici encore cette division de la toile permet d'alléger la grand-voile, ce qui est presque indispensable pour des mâts de plus de trente pieds [10 m] lorsque l'équipage est réduit. Avec foc et grand-voile (roulée ou non), ou surtout foc et tape-cul seulement, il est possible de gouverner à allure réduite dans les ports, ou pour se mettre *à la cape* (voir chapitre XIII).

Enfin la *goélette (fig. 15),* descendante directe des multimâts à voiles carrées d'autrefois, comporte encore deux mâts dont celui d'arrière, *l'artimon* ou grand-mât, est toujours supérieur ou égal à celui de l'avant: le mât de *misaine* (sinon c'est un ketch).

Les premières goélettes étaient encore affublées de toute une série de voiles complémentaires, en haut (flèches) et en avant (famille nombreuse des focs!), mais leur aptitude à remonter le vent (ce que ne pouvaient faire les bateaux à voiles carrées) les rendit responsables d'une véritable révolution dans le monde de la navigation à voile.

Désormais il n'y eut plus de «vents contraires» et les voiles évoluèrent vers une aptitude toujours meilleure au louvoyage (remontée au vent en bordées successives).

Les découvertes de l'aérodynamique ayant prouvé que les voiles triangulaires *Marconi* étaient les plus efficaces à ce point de vue, il était normal que les goélettes abandonnent peu à peu leur *gréement aurique* (voiles trapézoïdales) pour le remplacer par des voiles Marconi, quitte à remplacer la misaine par des voiles d'étai *(fig. 16).*

Fig. 14 Type de yawl: le Bristol 35.

Fig. 15   Goélette avec flèche.

Aujourd'hui les goélettes de plaisance modernes sont presque toujours gréées en Marconi (gréement bermudien), pour l'efficacité comme pour la facilité de manoeuvre des voiles.

Néanmoins, comme on trouve encore sur le Saint-Laurent et ses tributaires un bon nombre de goélettes du type de celles de la Nouvelle-Ecosse, fines et racées comme le célèbre Bluenose *(fig. 17)* ou s'apparentant aux goélettes de pêche du Bas-Saint-Laurent et de Gaspésie, il est possible que vous vous laissiez séduire par le romantisme indéniable de ce gréement. On a beau être de plus en plus habitué aux lignes sobres du gréement Marconi, on ne peut s'empêcher de trouver quelque chose de majestueux et de puissant à une goélette naviguant toutes voiles dehors . . .

Mais ici, attention! Cette petite analyse des gréements actuels étant objective, on doit à la vérité de signaler quelques faits qui peuvent vous faire réfléchir, au cas où vous seriez un admirateur de goélette sur le point de se faire séduire.

D'abord, même gréée en Marconi, une goélette comporte au moins trois voiles à installer et à hisser; car, contrairement au ketch et au yawl, la goélette navigue mal avec sa seule grand-voile. Si donc la plupart de vos sorties sont relativement courtes (soirées ou demi-journées), leur durée sera encore plus abrégée par le temps consacré à gréer et à dégréer.

Si le gréement est aurique, vous avez une drisse de plus à régler (la drisse de pic) et ça, c'est souvent à refaire en cours de route . . .

Fig. 16   Goélette moderne à grand-voile Marconi.

Fig. 17   Le Bluenose.

De plus, même si la goélette a inauguré l'ère des louvoyages, elle ne pointe jamais aussi haut qu'un sloop ou un yawl. Il faudra donc se résigner à faire de plus nombreuses bordées au vent pour une distance donnée. Quant au vent arrière, à moins d'avoir un très gros spinnaker (et un équipage musclé et habile pour le manier!), la goélette se traîne assez lourdement, et sa misaine en ciseau ne suffit pas à rétablir le déséquilibre d'une grand-voile qui, par sa position, rend le bateau trop ardent.

Enfin, pour garder un tirant d'eau raisonnable tout en donnant assez de lest (le gréement est souvent lourd), nombreuses sont les goélettes qui comportent du lest mobile, sous forme de gueuses de fonte, placées à fond de cale, sous les planchers. Ceci demande un arrimage soigneux de chaque gueuse, et du travail de débardeur au printemps et à l'automne!

Tout ça peut se faire, bien sûr, mais ça demande du temps... et de l'aide. Et de nos jours on aime surtout à faire de la voile de plaisance pour humer la brise et se promener sans s'épuiser.

Si jamais vous faites de la régate, vous apprendrez assez tôt quel genre de culture physique et d'acrobatie vous attend...! *(fig. 18)*.

Fig. 18   En dériveur de régate, l'acrobatie est monnaie courante!

QUELQUES PRIX

Avez-vous remarqué que jusqu'ici il n'a pas été question de prix? Oubli diplomatique pour vous dorer la pilule? Non point!

La voile est devenue tellement populaire, et la fabrication en série de la plupart des classes tellement courante que, malgré la hausse du coût de la vie, les prix restent tout de même abordables pour le travailleur à salaire moyen et même pour l'étudiant.

Un livre condensé n'étant pas un catalogue, il serait fastidieux de vous donner une liste de prix que même les salons nautiques n'arrivent pas à compléter. Cependant, voici quelques repères utiles, bien qu'approximatifs.

Petit dériveur	(de 13 à 16 pieds)	[4½ m à 5¼ m]	$ 400 à $1,000
Grand dériveur	(de 16 à 20 pieds)	[5¼ m à 6½ m]	$1,000 à $4,000
Voilier à quille/dérive	(de 20 à 25 pieds)	[6½ m à 8 m]	$3,000 à $8,000
Voilier à lest fixe	(de 20 à 25 pieds)	[6½ m à 8 m]	$4,000 à $9,000

Au-delà de 25 pieds de longueur, vous ajoutez environ $1,000 par pied de plus.

Ces prix approximatifs sont ceux de bateaux neufs et finis, mais non complètement équipés. Dans certains cas, cependant, le prix minimum du constructeur pourra comprendre grand-voile et foc, ainsi que quelques accessoires comme drisses, écoutes et taquets, mais les voiles supplémentaires, l'accastillage complémentaire et le moteur auxiliaire (amovible ou fixe) seront en plus.

Rappelez-vous cependant qu'un bateau bien entretenu s'use peu et que vous pourrez trouver de bonnes occasions si vous prenez le temps de les inspecter soigneusement, surtout dans le cas des coques en bois.

Il arrive assez souvent qu'un yachtman change de bateau pour avoir plus d'espace, plus de confort ou pour passer de la plaisance à la régate, ou vice versa. Il arrive aussi qu'il déménage ses pénates sans son bateau.

Tous ces changements possibles peuvent valoir à un acheteur éventuel de véritables aubaines, mais il faut aussi se méfier des «vices cachés», à moins d'être prêt à faire (ou à faire exécuter) d'importants travaux de réparation...

Chapitre V

L'ANATOMIE DE VOTRE VOILIER

UN PEU DE VOCABULAIRE MARIN

«Ce que l'on conçoit bien s'énonce clairement et les mots pour le dire arrivent aisément.»

Vrais lorsque Boileau les a écrits, vrais aujourd'hui encore, ces vers immortels expriment une conception de la langue particulièrement propre au français, langue claire et précise par excellence.

Devant l'incohérence, l'imprécision et l'impropriété de trop nombreux termes chers à nos contemporains, il est permis de se demander quels traits cinglants l'auteur de «l'Art Poétique» aurait lancés aux habitués des «choses», «machins», «trucs» et autres bouche-trous si courants de nos jours!

Au cours des pages précédentes vous aurez sans doute remarqué quelques parenthèses et périphrases destinées à éclaircir quelques termes techniques du vocabulaire marin. Mais il est évident que ce petit jeu des périphrases explicatives ne peut se poursuivre tout au long d'un livre sur un sujet aussi technique que la voile.

En effet, que vous soyez barreur ou équipier, il serait inconcevable de faire de la voile sans bien connaître le bateau sur lequel vous naviguez.

Et quel meilleur moyen de le connaître que de savoir le nom, l'emplacement et l'usage de chaque pièce et de chaque accessoire important?

Il ne s'agit pas, si vous êtes débutant, de vous encombrer la mémoire d'un fouillis de termes techniques, comme le font certains snobs pour le seul plaisir de se donner un petit air marin dans la conversation . . .

Il s'agit simplement d'acquérir de l'expérience en connaissance de cause, c'est-à-dire en comprenant le rôle et le fonctionnement de chaque chose.

Quant à vous, navigateur de vieille date, ne vous est-il jamais arrivé, en présence d'invités ou d'amis, d'être un peu pris de court, devant une question précise, mais imprévue, au sujet de votre cher bateau?

Vous vous débrouillez sans doute bien avec des périphrases, vous jonglez avec des synonymes et des mots étrangers, mais ne seriez-vous pas plus à l'aise si vous aviez toujours présent à l'esprit le terme exact?

Votre bagage de termes marins n'a pas besoin d'être aussi imposant que celui d'un capitaine au long cours, mais il faut tout de même connaître le nom et la fonction de la plupart des objets que vous devez manier, acheter, réparer ou entretenir au cours de la saison.

Tout le monde sait que l'avant d'un bateau se nomme *la proue,* et l'arrière *la poupe.* Malheureusement, ces deux termes, pourtant si exacts, tendent à devenir désuets, et sont de plus en plus remplacés par *l'avant et l'arrière.*

Par contre, il y a encore souvent une certaine confusion au sujet des côtés du bateau que certains se contentent d'appeler la droite et la gauche comme on le fait pour une auto ou tout autre véhicule.

Pour être sûr de ne jamais vous tromper, rappelez-vous simplement ceci: si vous vous tenez debout sur l'arrière d'un bateau, et que vous regardez l'avant, le côté droit s'appelle tribord et le côté gauche bâbord.

Si vous aimez les moyens mnémotechniques, notez que droite et *tribord* ont en commun un *r* et un *t,* et gauche et bâbord, un *a.*

«Pourquoi ne pas se contenter de droite et de gauche?» direz-vous peut-être.

Parce que contrairement aux autres moyens de transport où l'on est généralement assis dans le sens de la marche, et où la notion de droite et de gauche se rapporte normalement à cette direction, l'équipage d'un bateau, les passagers, et même parfois le pilote peuvent être souvent placés soit de travers, soit même face à l'arrière. Comme la droite et la gauche d'un homme sont toujours relatives à sa position, il peut s'en suivre des erreurs très dangereuses, surtout quand les manœuvres et les mouvements doivent être faits très vite.

Tandis que tribord et bâbord étant *immuables,* quelle que soit votre position, il ne peut y avoir confusion à ce sujet.

LA COQUE

La coque est l'ensemble de la charpente du bateau et de son revêtement, et non pas l'extérieur seulement, comme on le croit trop souvent.

La partie immergée de la coque est la *carène,* ou *œuvres vives,* et la partie émergée de la coque se nomme les *œuvres mortes,* ou encore le *bordé,* ce qui est une extension de ce mot qui désigne en réalité tout le *revêtement extérieur* de la coque, alors que le revêtement intérieur s'appelle le *vaigrage.*

Lorsque le bordé, extérieur ou intérieur, est fait de planches longitudinales, s'étendant d'un bout à l'autre d'une partie de la coque ou du bateau en entier, ces sections se nomment les *virures (fig. 1).*

Quant aux pièces de la charpente qui assurent la rigidité de la coque dans le sens longitudinal, ce sont les *serres,* tandis que celles qui, dans le sens transversal, ressemblent aux côtés d'un squelette, s'appellent les *couples,* réunis à leur partie inférieure par les *varangues,* fixées de part et d'autre de la *quille,* celle-ci étant la pièce maîtresse d'un bateau, sur laquelle s'appuie toute la charpente, dont elle est en quelque sorte l'épine dorsale.

La quille est souvent doublée par en dessous d'une *fausse-quille,* contre laquelle ou dans laquelle est boulonné le *lest* métallique, d'où le nom de *quille lestée,* déjà mentionné au sujet des divers types de voiliers.

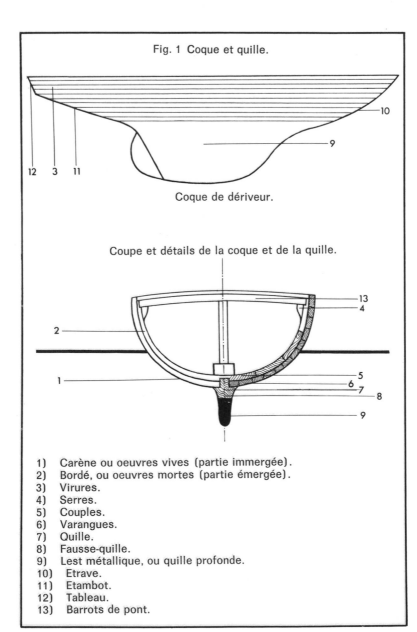

Fig. 1 Coque et quille.

Coque de dériveur.

Coupe et détails de la coque et de la quille.

1) Carène ou oeuvres vives (partie immergée).
2) Bordé, ou oeuvres mortes (partie émergée).
3) Virures.
4) Serres.
5) Couples.
6) Varangues.
7) Quille.
8) Fausse-quille.
9) Lest métallique, ou quille profonde.
10) Etrave.
11) Etambot.
12) Tableau.
13) Barrots de pont.

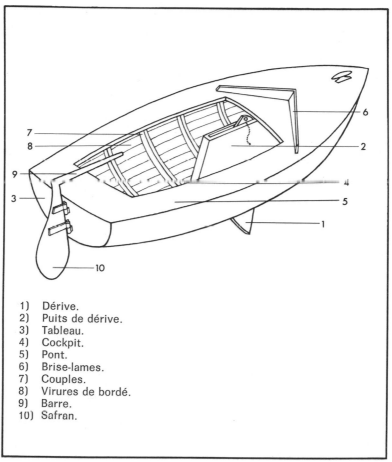

1) Dérive.
2) Puits de dérive.
3) Tableau.
4) Cockpit.
5) Pont.
6) Brise-lames.
7) Couples.
8) Virures de bordé.
9) Barre.
10) Safran.

Fig. 1 Coque de dériveur.

Pour les bateaux de plaisance, on tend à appeler *quille* tout *aileron* lesté ou non, prolongeant par en dessous la pièce de quille, pour en faire une *quille profonde.*

Sur les petits *dériveurs, la dérive* pivote ou coulisse dans un *puits* monté à l'intérieur de la coque, par-dessus une ouverture dans la quille, celle-ci ne dépassant pas la carène à l'extérieur.

65

Sur les grands dériveurs, et surtout sur les coques modernes moulées d'une seule pièce, le puits de dérive est le plus souvent enfermé, totalement ou en partie, dans l'aileron lesté fixé à la quille.

Ici encore, on tend à appeler *quille* tout aileron lesté ou non, qui dépasse en profondeur sous la coque, qu'il renferme une dérive ou non.

La quille aboutit sur l'avant à *l'étrave,* et sur l'arrière à *l'étambot,* la pièce arrière de la coque dans le plan longitudinal, terminant verticalement ou à angle oblique la quille, portant les *ferrures* de gouvernail et éventuellement creusée pour assurer le passage de l'arbre de l'hélice.

Lorsque le bordé arrière de la coque se termine transversalement par une sorte de plateau, droit ou incliné, généralement d'une seule pièce, cette pièce s'appelle *le tableau,* qui porte habituellement le nom du bateau.

L'ouverture rectangulaire, carrée, ovale ou ronde pratiquée à même le pont, autour de laquelle vous vous asseyez pour conduire votre bateau s'appelle le *cockpit.* (Inutile de refranciser, le mot est international, comme beaucoup d'autres mots utilisés dans ce livre!)

Le cockpit est généralement entouré de boiseries surélevées, les *hiloires,* empêchant l'eau courant sur le pont d'y pénétrer.

Dans les petits voiliers, le plancher du cockpit est le même que celui du bateau. Dans les modèles plus grands, le plancher est indépendant, formant la base d'une sorte de puits qui, s'il est situé plus haut que la ligne de flottaison, est muni d'un système d'auto-vidange.

Sauf dans les voiliers à fort tirant d'eau, la hauteur sous barrots est en général insuffisante pour assurer une bonne liberté de mouvements dans la cabine.

On augmente donc cette hauteur par une toiture surélevée au-dessus du pont, *le rouf,* muni de hublots, qui comporte le plus souvent un *capot* à glissière, permettant de communiquer du cockpit à la cabine et vice versa, sans se recroqueviller ou se frapper le crâne *(fig. 2)*.

La petite échelle ou les suites de marches qui permettent de descendre du cockpit dans la cabine se nomme *la descente*.

Les ouvertures horizontales pratiquées dans le pont ou dans le toit du rouf pour accéder à l'intérieur de la coque ou de la cabine se nomment *les écoutilles*. (Rondes, elles seraient des trous d'homme.)

Les écoutilles sont protégées par des panneaux, ou capots pivotants, à glissières ou amovibles.

Fig. 2   Rouf, capot, hiloires et cockpit.

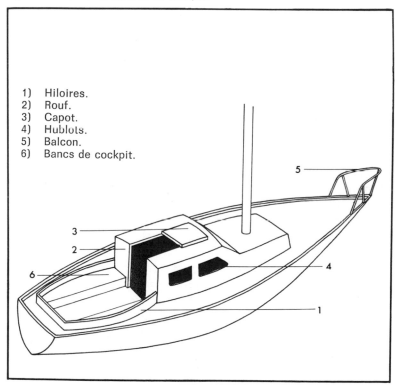

1)   Hiloires.
2)   Rouf.
3)   Capot.
4)   Hublots.
5)   Balcon.
6)   Bancs de cockpit.

LE GOUVERNAIL

Bien des débutants sont souvent dépaysés par le fait qu'un bateau, contrairement à la plupart des véhicules usuels, se dirige par l'arrière.

Sans aller jusqu'à la comparaison, un peu humiliante, de ces «éléphants» (terriens non initiés!) qui trouvent «qu'un bateau, ça marche comme une brouette!», le futur barreur ou pilote fera bien de se souvenir, dans ses manœuvres (et surtout dans ses accostages!), que le gouvernail, par sa position, déplace de côté l'arrière et non l'avant du bateau.

L'oubli, parfois momentané, de ce détail important fait que chaque année de beaux bateaux se frottent un peu trop rudement le long des quais, des ports, ou dans les écluses! Et que de collisions, d'échouages ou d'avaries parce qu'un barreur oublieux a cru pour un instant que sa proue allait virer comme le devant d'une auto!

Formé d'un plan de bois ou de métal appelé *safran,* et généralement fixé à l'étambot ou au tableau, le gouvernail pivote autour d'un axe vertical ou oblique. Le safran est donc la partie plane, agissante du gouvernail.

Dans les voiliers à tableau, le système de fixation comprend habituellement des pentures appelées *fémelots* (fixées à l'étambot) et des pitons appelés *aiguillots,* fixés au gouvernail. Il suffit donc de soulever le gouvernail pour le libérer, ce qui est très commode pour échouer un petit voilier en eau peu profonde ou au rivage sans risquer d'arracher tout le système *(fig. 3A).*

Sur certains bateaux, aiguillots et fémelots sont inversés, ou disposés alternativement, l'ensemble restant tout de même amovible, comme l'est aussi le système composé entièrement de fémelots réunis par une longue tige boulonnée.

Pour plus de protection en eau profonde, nombreux sont les voiliers qui ont aujourd'hui un safran à pivot, permettant au gouvernail de se relever sous le choc ou sous la pression d'un obstacle.

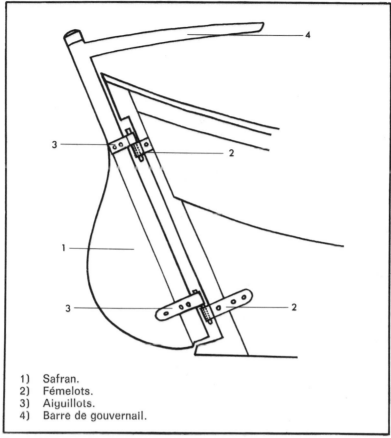

1) Safran.
2) Fémelots.
3) Aiguillots.
4) Barre de gouvernail.

Fig. 3 Gouvernail amovible.

Dans tous les yachts à poupe débordante, c'est-à-dire comportant *un élancement* très oblique au-dessus de la ligne de flottaison, le gouvernail est fixe, soit reposant sur une saillie de la quille, soit tenu directement par son axe ou *mèche,* débordant au-dessus du pont et traversant la coque par un conduit étanche appelé *jaumière (fig. 3B).*

Le contrôle manuel du gouvernail se fait soit par une *barre* de bois ou de métal, soit, dans les grands bateaux, par une roue. Ce mot désigne cependant l'objet lui-même, et non

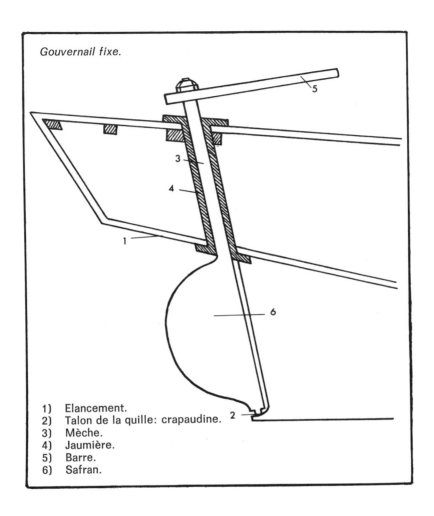

Gouvernail fixe.

1) Elancement.
2) Talon de la quille: crapaudine.
3) Mèche.
4) Jaumière.
5) Barre.
6) Safran.

l'usage que l'on en fait, pour lequel on dit toujours: *barre.*
(Tenir la barre, l'homme à la barre, donner de la barre.)

Quel que soit le système, le principe reste le même: lorsque vous déplacez le gouvernail de manière à lui donner
un certain angle avec la quille du bateau, l'eau s'engage en
bouillonnant dans cet angle, fait pression et a tendance à

repousser la barre du côté opposé. Celle-ci résiste. Qu'arrive-t-il? L'arrière se déplace dans le sens du safran.

Si donc vous voulez virer à tribord, c'est à bâbord qu'il faut pousser votre barre, puisque c'est à bâbord que doit aller votre poupe pour diriger votre bateau vers la droite.

Quand vous reculez, la manœuvre est évidemment inversée, et le gouvernail agit alors comme la roue avant d'une bicyclette.

Même si tout cela vous semble assez simple, assez logique, lorsque c'est expliqué et compris «à sec», vous ne tarderez pas à comprendre, une fois sur l'eau, pourquoi il faut souvent bien des années avant de devenir un bon timonier!

LE GRÉEMENT

Il est une maxime qui, en notre siècle de vitesse en toutes choses, devrait être plus souvent méditée et appliquée: «HÂTE-TOI LENTEMENT».

En effet, la tendance de plus en plus généralisée à se hâter d'«expédier» un ouvrage peut souvent jouer de bien vilains tours . . .

Parmi les domaines où le peu de temps gagné par une hâte excessive est hors de proportions avec le temps et l'argent perdus «à raccommoder les pots cassés», le gréement d'un voilier en bois peut être cité comme un exemple typique.

Regardez ce que font presque tous les yatchtsmen-néophytes: saisis de la fièvre du printemps, impatients de hisser les voiles et de partir à la conquête de trophées ou d'horizons nouveaux, ils sont comme des fauves en cage tant que leur cher bateau n'a pas fini sa toilette saisonnière . . . Mais une fois passé le grand moment du lancement, cette fièvre continue jusqu'à ce que le voilier soit gréé, car un mât n'est pas fait pour rester à terre, n'est-ce pas? Et un voilier à l'eau, sans mât, ça ressemble à un cygne sans cou: c'est trapu et c'est laid! Alors, qu'on se dépêche de mettre ce mât, et que soient finis ces interminables travaux d'avant-saison!

«Voilà qui est pourtant logique!» direz-vous. Après la coque on passe au gréement. Rien de plus normal! Oui ... MAIS! Le «mais», ce n'est pas dans *le fait* qu'il réside, c'est dans la manière! Car pour gréer un bateau, comme pour toutes choses d'ailleurs, *il y a une manière.*

Et l'une des pires erreurs qu'on puisse faire en yachting est précisément de planter un mât sur un voilier qui vient d'être lancé, puis de partir à voile le jour même, ou le lendemain.

Pourquoi erreur? Parce qu'une coque qui a passé quelques mois à sec a besoin d'un peu de temps pour «se placer» pour permettre à son bois de travailler en douceur, de manière égale et progressive.

Le gréement exerce sur la coque des tractions phénoménales, tandis que le pied du mât, lui, exerce une compression également très forte.

Lorsque le bateau est dans son élément depuis quelque temps, toutes ses planches forment avec son châssis un ensemble rigide, et les efforts mentionnés plus haut sont distribués sur des surfaces assez grandes. Mais après avoir subi l'action séchante des vents de printemps, le bois, ayant joué ici et là, ne forme plus un tout aussi homogène.

Marcher sous voiles dans ces conditions, c'est donner à certains points de la coque des efforts excessifs qui non seulement diminueront l'étanchéité de manière souvent irrémédiable, mais affaibliront toute la structure.

Les gros voiliers, goélettes, ketches, yawls ou sloops très solidement construits et ayant passé l'hiver avec leurs mâts en place pourront évidemment hisser leurs voiles plus tôt après leur lancement que les yachts de course, plus légers et plus délicats. Mais tout solides qu'ils soient, eux aussi ont besoin d'une période de quelques jours d'adaptation dans l'eau avant d'affronter le vent et la houle sans «fatiguer» inutilement.

Quant aux bateaux à faible tirant d'eau, peu ou pas lestés, il sera toujours préférable de les laisser passer quelques jours au mouillage avant de les gréer. Après quoi le mât et les espars seront installés de préférence par une journée calme, de manière à ce que le réglage des agrès puisse se faire dans les meilleures conditions possibles.

Le voilier à coque moulée, lui, n'a pas de bois à faire gonfler graduellement. Il pourra donc être gréé aussitôt lancé.

Mais que la coque et le mât soient en bois ou non, l'ensemble des filins qui maintiennent le mât représente souvent un fouillis inextricable pour le néophyte qui n'a pas encore eu l'occasion de se familiariser avec son gréement.

Examinons donc un à un tous ces filins et cordages qui semblent tisser vers le ciel une toile d'araignée où il est plus facile de s'empêtrer que d'y voir clair, surtout rapidement.

Autrefois les mâts étaient gros, pleins, lourds et solides. On ne pouvait les rallonger qu'au moyen de raccords, l'ensemble étant maintenu par une ribambelle de cordages et palans qu'il fallait continuellement ajuster et régler.

Aujourd'hui les mâts *Marconi* sont généralement creux, en bois collé ou en aluminium, c'est-à-dire assez fragiles étant donné leur longeur.

Le gréement étant destiné à transformer la force du vent sur les voiles en force propulsive faisant avancer la coque sur l'eau, il importe évidemment que le mât soit solidement fixé au bateau.

L'ensemble des cordages ou filins d'acier fixés en permanence aux deux extrémités, ne servant donc pas à mouvoir un objet s'appelle le *gréement dormant,* ou les *manœuvres dormantes,* le mot *manœuvre* ayant ici le sens concret de *cordage ou filin à rôle défini.*

D'autre part tous les cordages ou filins dont une extrémité peut être fixée sur un objet mobile, l'autre extrémité étant libre et actionnée directement ou indirectement sont les *manœuvres courantes* et leur ensemble est le *gréement courant.*

LE GRÉEMENT DORMANT
(manœuvres dormantes) *(fig. 4)*

Les filins d'acier (autrefois de cordages) qui soutiennent le mât de l'avant s'appellent *les étais,* quelle que soit la hauteur à laquelle ils sont fixés au mât.

Lorsqu'un étai sert de support à un foc par l'entremise de ses bagues ou mousquetons, il devient une draille, d'où le terme *endrailler un foc.*

Les filins qui soutiennent le mât dans le sens transversal sont les *haubans,* divisés comme suit sur les voiliers de plaisance:

Les haubans les plus bas s'appellent les *bas-haubans,* ou plus souvent les *haubans.* Ce sont ceux qui autrefois se fixaient à la tête d'un *bas-mât.*

A cette première hauteur se trouve généralement *une barre de flèche (la première barre de flèches* s'il y en a a plusieurs), destinée à écarter les haubans pour leur donner un bon appui contre le mât. S'il y a une deuxième barre de flèche et qu'un deuxième hauban vient se fixer à sa hauteur, c'est un *hauban de flèche.*

Quant aux haubans qui vont se fixer en tête de mât, soit directement, soit par l'entremise de barres de flèche, ce sont *les galhaubans.*

L'écartement inférieur de ces galhaubans ne jouant plus aucun rôle il peut être réduit à zéro, les galhaubans se fixant *(se ridant)* sur le mât lui-même, à la hauteur des bas-haubans ou des haubans de flèche.

La figure qu'ils forment est un losange qu'on appelle souvent *guignol* (le vrai nom est une *martingale*).

Ce nom peut s'appliquer aussi à un losange d'étais partant de la tête du mât et revenant se fixer au mât lui-même, assurant ainsi la rigidité du mât en l'empêchant de prendre du ventre en avant.

Lorsqu'un hauban d'arrière est fixe, c'est un *pataras,* parfois divisé en deux sur *le couronnement,* c'est-à-dire sur l'extrémité supérieure du tableau.

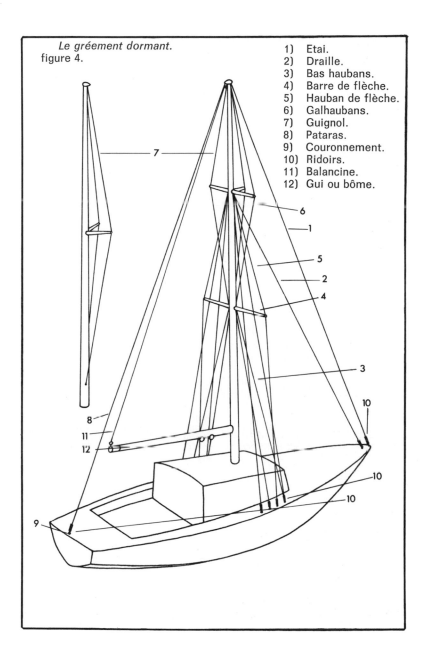

Le gréement dormant.
figure 4.

1) Etai.
2) Draille.
3) Bas haubans.
4) Barre de flèche.
5) Hauban de flèche.
6) Galhaubans.
7) Guignol.
8) Pataras.
9) Couronnement.
10) Ridoirs.
11) Balancine.
12) Gui ou bôme.

Lorsque les haubans sont à fixation inférieure mobile, pour tenir le mât par le côté de l'arrière, *la hanche*, ce sont les *bastaques*, qui sont généralement réglées du bas par un petit *palan*, le *palanquin de bastaques*, ou par un chemin de fer fixé sur leur pont, permettant de modifier leur tension ou de les relâcher complètement.

Les bastaques sont surtout destinées à raidir la draille du foc du côté opposé où celui-ci est porté. Elles servent aussi à compenser efficacement les fortes poussées vers l'avant ou les à-coups donnés au mât par le spinnaker.

La tension des manœuvres dormantes est réglée par des tendeurs appelés *ridoirs*, qui diminuent ou augmentent de longueur selon le sens dans lequel on fait tourner leur partie centrale, ou *cage*, dans laquelle deux boulons se vissent en sens inverse *(fig. 5)*.

Fig. 5   Ridoir.

Les ridoirs sont des pièces chères et délicates et leur bris peut entraîner des conséquences graves comme la chute du mât, accident où celui-ci reste rarement intact ...

La tendance moderne est malheureusement de munir les étais et les haubans de ridoirs de plus en plus petits, sous prétexte que leur alliage est meilleur qu'autrefois, ce qui est vrai dans la plupart des cas, mais n'empêche pas leur bris lorsque leur échantillonnage a été mal calculé par rapport aux tensions énormes que doit supporter le gréement.

On a donc intérêt à les choisir plutôt trop forts que pas assez. Le vieux proverbe marin «trop fort n'a jamais manqué» reste encore bien vrai!

Une autre fâcheuse tendance des ridoirs modernes est d'être fixés non pas au moyen de forts boulons assez faciles à régler et à masquer, mais par de trop petites clavettes retenues par d'atroces petites goupilles, qu'on ne peut jamais enfiler ni écarter à la main, qui se cassent dès qu'on les a pliées plus d'une ou deux fois, qui présentent pour les mains, les pieds et surtout les voiles un danger permanent de déchirure. Il faut donc les envelopper de plusieurs épaisseurs de ruban gommé, ce qui est une opération souvent à recommencer au cours d'une saison de navigation où les réglages peuvent être nombreux.

LE GRÉEMENT COURANT
(manœuvres courantes)

Les manœuvres courantes les plus importantes sont évidemment celles qui hissent les voiles, *les drisses* et celles qui règlent leur orientation ou leur tension, *les écoutes.* Les drisses portent le nom de la voile qu'elles hissent habituellement, d'où *drisse de grand-voile, drisse de foc, drisse de spinnaker,* etc.

Au retour de sa poulie de mât, une drisse vient *se tourner* (se fixer) à un taquet, soit directement, soit après avoir passé par une ou plusieurs poulies, soit encore après avoir fait plusieurs tours sur *un winch,* petit cabestan à cliquet qui se vire avec une manivelle et permet de diminuer considérablement les efforts de traction manuelle sur une manœuvre courante, remplaçant ainsi les encombrants palans d'autrefois *(fig. 6)*.

Lorsqu'une manœuvre sert à *amener* (abaisser) un objet hissé qui ne descend pas (ou qui descend mal) par son propre poids, elle s'appelle un *hale-bas*. Exemple: le petit palan destiné à étarquer (raidir à bloc) le bas d'une voile, et portant le nom de la voile qu'il étarque: *hale-bas de foc, hale-bas de grand-voile*, etc.

Enfin les manœuvres courantes servant à *border* (assujettir par tension) les voiles par le bas sont *les écoutes.*

La manœuvre courante passant par une poulie fixée au mât et servant à maintenir horizontal ou soutenir un espar est *une balancine.* Sur les petits voiliers, la balancine de grand-voile est généralement fixée en tête de mât, ce qui la dégage de la voile.

LES ESPARS

On ne saurait terminer une revue, même sommaire, du gréement sans mentionner le mot *espars* qui désigne théoriquement «tout ce qui, à bord, est fait d'une longue pièce de bois ou de métal et qui ne fait pas partie de la coque».

Un mât est donc un espar, aussi bien qu'un aviron ou une gaffe. Dans les gréements anciens, étaient aussi espars *les vergues, boute-hors, beauprés, cornes, mâtereaux*, etc.

Un grand nombre de ces espars ayant disparu, on tend de plus en plus à n'appeler espars que les longues pièces de bois ou de métal qui fixent les voiles soit par l'avant (mâts), soit par le bas (guis).

Ne restent plus, comme autres espars, que *les cornes* des voiles auriques (aussi appelées *voiles à cornes*) et les boute-hors. Mais ces espars aussi sont en voie de disparaître sur les voiliers de plaisance.

Restent cependant, outre le mât, deux espars courants: celui qui borde le bas d'une voile: *le gui*, et celui qui écarte une voile (généralement un spinnaker ou un foc) du mât ou du gréement: *le tangon.*

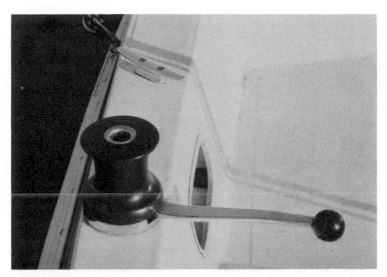

Fig. 6   Winch.

Le gui, ou bôme, est fixé au mât par l'intermédiaire d'un mécanisme articulé, le *vît-de-mulet (fig. 7)*.

Lorsque la voile est *amenée* (abaissée), l'arrière du gui repose sur un support mobile: P'X, ou sur un support fixe, *le portique,* qui se confond souvent avec la *rambarde* arrière.

Fig. 7   Vît-de-mulet.

Chapitre VI

AVANT LA MISE À L'EAU

La grande majorité des voiliers de plaisance sont aujourd'hui en fibre de verre. D'autres matériaux, tels que le ferrociment, tout aussi imputrescibles et résistants, ont commencé à faire leur apparition. Pour ces coques moulées, l'entretien est réduit à peu de chose: lavage, ponçage, peinture, et vernis pour l'accastillage en bois. C'est évidemment l'une des principales raisons de leur popularité *(fig. 1)*.

En Amérique du Nord comme ailleurs, un grand nombre de voiliers en bois naviguent encore aujourd'hui et navigueront sans doute encore durant de nombreuses années. Bien entretenue, une coque en bois peut en effet durer très longtemps, tout en offrant à l'intérieur une atmosphère caractéristique que le plastique est loin de pouvoir remplacer avec ses odeurs de colle et son suintage à la moindre humidité.

Le bois demande cependant certains soins, et dans les régions où la saison d'été est déjà très courte, l'entretien et le remplacement des pièces usées, affaiblies ou endommagées peuvent représenter beaucoup de temps perdu pour le yachtman pressé de naviguer dès la fonte des glaces.

Par contre, pour de nombreux autres amateurs, cet entretien ou même ces réparations représentent un passe-temps agréable et instructif qui leur permet de mieux connaître leur bateau. Certains enthousiastes, surtout ceux qui aiment fignoler les moindres détails, vont même jusqu'à prétendre que l'entretien de leur bateau représente «la moitié du plaisir» . . .

C'est peut-être pousser le feu sacré un peu loin! Mais il n'en reste pas moins que si vous en êtes à votre premier voilier et si votre portefeuille ne vous permet pas encore l'achat d'un voilier en fibre de verre, neuf ou d'occasion, le voilier en bois pourra vous rendre heureux pendant plusieurs années, en attendant de pouvoir vous offrir le bateau de vos rêves.

D'autre part, si vous avez acheté ce livre après avoir déjà fait connaissance avec un voilier de bois, c'est que vous voulez sans doute connaître les finesses du métier.

Voici donc quelques lignes dédiées à ceux qui, pour employer une expression ironique, «ne sont pas encore sortis du bois» . . .

INSPECTION D'UN VOILIER AYANT DÉJÀ SERVI

1. S'il s'agit d'une coque qui a été longtemps remisée ou couverte, inspectez soigneusement les endroits où la ventilation peut avoir été insuffisante; ce sont des paradis pour la pourriture, *la carie.* En général, la charpente de l'étrave et celle de l'étambot sont les endroits qui montrent les premiers symptômes.

Leur accès difficile est souvent la cause d'un peu de négligence à nettoyer et à ventiler.

Ensuite, inspectez *le calfatage* et les joints de votre coque, en particulier *les coutures* (joints entre les virures) de la

Fig. 1   Avant la peinture: la préparation soigneuse des surfaces. 1) Ponçage. 2) Couches de fond.

Fig. 1A   Le fignolage d'une coque.

coque, du pont et de la cabine. Le pied du mât, le puits de la dérive et les raccords de charpente sont des endroits à surveiller.

C'est là une tâche toujours un peu longue et fastidieuse, mais nécessaire.

Si votre bateau a plus de trois ans et s'il n'a pas été imprégné chaque année de solution anti-pourriture, faites cette inspection avec deux fois plus de minutie!

Le temps employé à votre calfatage *avant le lancement (fig. 2)* sera peu de chose à côté des ennuis sans fin et du danger que peuvent causer une coque non étanche! Sans compter qu'il est toujours malsain de séjourner longtemps dans une cabine humide et que la crainte continuelle d'une *voie d'eau* nuit beaucoup à un sommeil paisible à bord.

Choisissez un jour sec pour sortir votre bateau de sa remise, s'il est sur une remorque, ou un chariot, ou pour le dégager de son *taud* (bâche, prélart). Il est très important que tout l'air humide accumulé durant l'hiver et le printemps dans

Fig. 2 Un travail essentiel pour les coques en bois: *le calfatage.*

les recoins de la charpente soit enlevé le plus tôt possible par une bonne ventilation.

Séchez aussi votre taud avant de le plier pour l'été et si vous le remisez dans un club, marquez-le de votre nom ou de celui de votre bateau.

A propos de calfatage, servez-vous surtout de mastic élastique et n'employez le coton à calfater que dans les constructions neuves et dans les très grosses coutures, en tenant compte du gonflement que subira le bois mouillé. Que de voies d'eau obstinées n'ont été causées que par une surabondance de coton forcé à coup de maillet dans des joints ou des coutures où il aurait suffi d'un peu de mastic!

Si vous trouvez de la *carie* (pourriture), ne hurlez pas de rage et n'allez pas croire votre bateau fini! Remplacez au plus vite l'élément pourri, vérifiez ses voisins et imbibez-les plusieurs fois de solution préservative.

Avant d'assembler vos nouveaux morceaux, imbibez d'avance leurs joints pendant que la tranche du bois est à votre portée et peut ainsi être immunisée pour plus longtemps.

Beaucoup de yachtsman font de la très belle menuiserie, construisent et réparent aussi bien que des spécialistes, mais trop peu d'entre eux pensent à préserver leur bois avant de le peindre. Cette seule précaution permet de quintupler la durée du bois, surtout dans l'eau douce. (On sait que l'eau de mer est un préservatif naturel du bois.)

Outre les endroits à calfater ou à réparer que vous marquerez sur la coque même (les sages en prennent note lors du remisage d'automne), établissez une liste de tout ce que vous avez à faire et à acheter.

Il n'est peut-être pas agréable de se promener en rampant dans une cale étroite avec un bloc notes, un crayon et une lampe de poche, mais cette liste vous évite un nombre incroyable d'oublis quand vous passez en vitesse chez le quincaillier.

De plus, en repassant votre liste à tête reposée, vous pouvez mieux grouper vos achats, classer les travaux que vous pouvez faire loin du bateau (chez vous, par exemple), calculer vos prix et par conséquent économiser du temps et de l'argent.

Je connais un bonhomme qui déclare à tout venant que l'entretien de son yacht lui coûte cher. Pourquoi? Il ne s'agit pourtant que d'un petit dériveur de série, très simple de construction. Mais ce bateau est remisé à une trentaine de milles de la demeure de son propriétaire et à cinq milles de la quincaillerie la plus proche, qui n'est qu'un petit magasin de campagne.

Ayant horreur des listes écrites, le bonhomme en question saute dans sa voiture et file au village ou retourne en ville chaque fois qu'il lui faut une vis, un pinceau, du papier de verre ou une pièce quelconque . . .

Comme ces voyages-express lui donnent chaud, il les arrose de quelques verres de bière, tout en jasant avec des amis ou des fournisseurs.

La bière et le carburant s'ajoutant au prix du matériel et le petit jeu se répétant plusieurs fois par jour pendant tout le travail printanier, vous comprenez pourquoi notre bonhomme trouve que l'entretien de son petit bateau est trop long, trop coûteux et raccourcit sa saison de voile à tel point qu'il se demande si le jeu en vaut la chandelle . . .

Enfin lorsque vous devez démonter une pièce quelconque, repérez-la exactement et notez la longueur et le diamètre des vis et des boulons d'assemblage. La griserie d'un démontage rapide (parfois fait avec un peu de rage!) est comparable à celle que les enfants éprouvent en démantibulant un jouet.

Mais lorsque plus tard vous remettez une pièce au mauvais endroit, à l'envers, ou avec des vis trop longues qui hérissent l'intérieur d'une cabine ou l'extérieur d'une coque de pointes acérées, ou encore lorsque vous «forcez» une vis dans du bois *non percé d'avance,* et lorsqu'alors votre travail est salué du craquement irréparable du bois qui se fend, vos muscles endoloris et votre sueur se complètent par une mine aussi dépitée que celle d'un gamin ayant perdu son jouet . . .!

«Elémentaire, tout ça!» diront certains, surtout les menuisiers expérimentés. Peut-être! Mais, comme pour l'œuf de Colomb, il fallait y penser!

Chapitre VII

LES VOILES

«Cléopâtre apparut, resplendissante, sur un vaisseau à la poupe d'or, aux voiles de soie pourpre et aux avirons d'argent.»

Que de choses ont changé, depuis cette cérémonie nautique décrite par Plutarque bien avant l'ère des grandes expéditions à voile.

Pourtant, malgré toutes les découvertes de la science moderne et malgré la plus grande efficacité de la construction navale actuelle, peut-on dire que les bateaux d'aujourd'hui sont plus simples que ceux d'autrefois? Oui, si l'on songe aux petits voiliers de plaisance et de course, dans lesquels tout est prévu pour augmenter le rendement tout en simplifiant les manœuvres au maximum.

Mais pour les autres, bateaux de commerce et vaisseaux de guerre, «cruisers» de luxe et paquebots, le progrès, tout en simplifiant certains problèmes, prend souvent sa revanche en multipliant les appareils et accessoires compliqués et coûteux.

Alors qu'au siècle dernier, il suffisait de quelques artisans habiles pour mettre en état de marche ou réparer même les plus grands voiliers, songez à l'armée de techniciens que représentent aujourd'hui la fabrication et le réglage d'un radar, d'un moteur ou la construction d'une coque en acier ...

Il y a cependant un domaine où, depuis quelques décades, une tendance à la simplification s'est fait sentir de manière assez continue: c'est celui des voiles.

Comparez les voiles d'autrefois *(fig. 1)* lentes et difficiles à manœuvrer, aux voiles extrêmement simples d'un bateau de course-croisière *(fig. 2)* et vous constaterez que la simplicité va de pair avec l'efficacité.

Fig. 1   Un voilier d'autrefois: le célèbre "Mayflower".

Il est vrai que pour en arriver là, il a tout de même fallu appliquer les leçons d'une science hautement spécialisée: *l'aérodynamique*. Mais ces applications se sont faites surtout indirectement, à la lumière des résultats obtenus dans le domaine de l'aviation.

Les bassins d'essai, les souffleries artificielles, les tunnels à vent et tous les appareils enregistreurs analogues, semblables à ceux de l'aviation, ont beaucoup contribué à donner

Fig. 2 Voilier moderne de course-croisière.

aux voiles actuelles non seulement cette sobriété de lignes caractéristiques, mais une efficacité jamais égalée auparavant.

Le résultat pratique de ces expériences, c'est qu'au lieu de devoir initier un équipage nombreux à une mutitude de cordages et à des manoeuvres complexes, le yatchtman d'aujourd'hui a à sa disposition un jeu de voiles légères et résistantes, manœuvrables dans la plupart des cas par un équipage très réduit, ou même par un seul couple en croisière.

D'autre part la compétition, aussi bien en régate qu'en course de longue distance, a également permis d'améliorer le rendement des voiles et des accessoires, en éliminant tout ce qui n'est pas directement utile à la propulsion ou à un réglage aussi parfait que possible.

L'évolution des voiles à travers les âges (résumée au chapitre III sur les premiers voiliers), a abouti au gréement bermudien (ou Marconi) universellement adopté aujourd'hui dans la voile de plaisance.

Examinons donc une voile triangulaire moderne et notons les principaux termes qui s'y rapportent *(fig. 3)*.

Le haut du triangle par où la voile se hisse au moyen d'une *manille* ou d'un mousqueton fixé à la drisse, s'appelle *le point de drisse*.

L'angle inférieur avant d'une voile est *le point d'amure* ou tout simplement *l'amure*. Celui de la grand-voile s'amarre au *vît-de-mulet* ou sur un œillet double fixé tout à l'avant du gui. L'amure du foc est amarrée soit à une pièce d'accastillage fixée au bas de la draille, soit à un palan d'amure permettant *de l'étarquer*.

Le cordage cousu dans la bordure inférieure de la grand-voile s'appelle *la ralingue de bordure*. Elle est fixée au gui non plus par un laçage comme autrefois, mais par *un chemin de fer* (système à glissières) ou encore par une engoujure (rainure) longitudinale sur le dessus du gui.

L'extrémité arrière de la ralingue de bordure qui correspond avec l'angle inférieur arrière de la voile s'appelle *le point*

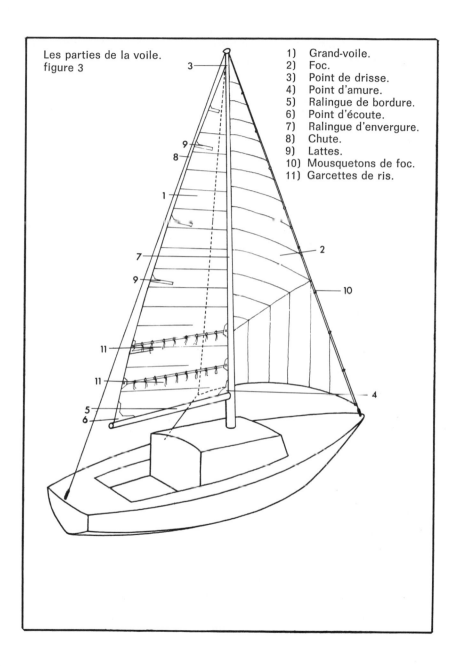

Les parties de la voile.
figure 3

1) Grand-voile.
2) Foc.
3) Point de drisse.
4) Point d'amure.
5) Ralingue de bordure.
6) Point d'écoute.
7) Ralingue d'envergure.
8) Chute.
9) Lattes.
10) Mousquetons de foc.
11) Garcettes de ris.

d'écoute. Quant à la ralingue avant de la grand-voile, qui s'envergue (s'amarre) sur *un chemin de fer* ou dans une engoujure du mât, elle se nomme *la ralingue d'envergure.*

Le côté arrière de la voile qui «tombe» du haut du mât au point d'écoute est *la chute.*

La chute de la grand-voile et parfois celle du foc porte des *lattes* (planchettes longues, étroites, minces et souples) qu'on introduit dans des gaines cousues plus ou moins perpendiculairement au bord de cette chute pour l'empêcher de battre ou de prendre du mou).

Les focs, envergués sur leur draille par des mousquetons, sont également munis d'une ralingue d'envergure, qui doit toujours être très tendue. Cette ralingue se complète parfois d'un filin d'acier, réglable, appelé *le nerf.*

Par contre la bordure inférieure du foc, généralement libre, est ourlée comme la chute de la voile et n'est aussi renforcée d'une ralingue qu'aux extrémités avant et arrière, près du point d'amure et du point d'écoute.

Une exception cependant: *le foc bômé,* qui est un petit foc *non débordant* (n'occupant que le triangle avant du gréement) destiné surtout au gros vent et dont la bordure est amarrée à une petite bôme réglée par une seule écoute à palan.

PRENDRE DES RIS

Autrefois *les ris* étaient des plis qu'on faisait dans la voile à partir du bas pour en diminuer la surface. Le bas des voiles était muni de deux ou trois *bandes de ris,* munis de *garcettes* (petits cordons) qu'on nouait de part et d'autre à la bôme au niveau voulu.

On prenait donc ainsi *un ris,* deux ris, etc., selon le nombre de bandes de ris attachées à la bôme. Aujourd'hui le gui est presque toujours *à rouleau,* c'est-à-dire qu'il peut pivoter sur lui-même au moyen d'un mécanisme à vis sans fin et à manivelle installé dans le vît-de-mulet *(fig. 4).*

Fig. 4   Système de gui à rouleau.

On peut ainsi rouler la toile autour du gui, ce qui est une manière beaucoup plus facile de réduire la toile que la manœuvre longue et souvent pénible par gros vent qui consistait à attacher *les points de ris* un à un.

Néanmoins l'ancienne expression *«prendre des ris»* est encore usitée et signifie donc aussi bien *nouer des points de ris* que *prendre des tours de rouleau*. D'autre part, libérer la toile nouée ou roulée se dit *larguer les ris*.

AUX PETITS SOINS POUR LES VOILES!

«Les voiles sont chères et leur vie est trop courte!» entend-on souvent murmurer avec un certain dépit.

Monsieur de la Palice aurait sans doute répliqué: «Le rôle des voiles étant de convertir par leur forme l'énergie du vent en force propulsive pour le voilier, il est évident que leur durée et leur forme dépendront beaucoup du soin qu'on leur aura accordé.»

Grande ou petite, neuve ou non, de coton ou de tissu synthétique, une voile devrait toujours être traitée «comme un poupon»: toujours maintenue propre, séchée et nettoyée au plus tôt dès qu'elle a été mouillée ou salie, gardée loin des objets contondants et des sources d'accrochage.

Ainsi traitée et entretenue, une voile pourra durer plusieurs années en excellent état, garder les savantes courbures que lui a données son fabricant et récompenser son propriétaire en lui gagnant de beaux trophées, ou en lui permettant de prendre des vacances ou de faire les croisières dont il a tant rêvé.

Foulée au pied sur un pont sale ou mouillé, jetée pêle-mêle avec ses voisines dans le fond d'un cockpit ou d'une cale, gardée humide ne fût-ce qu'après la rosée du soir, la meilleure voile deviendra rapidement une loque informe prête à se déchirer au premier coup de vent.

Ici j'entends le partisan du synthétique s'écrier: «Et le dacron, et le nylon, qu'est-ce que vous en faites? C'est à l'épreuve de l'eau, c'est imputrescible et c'est plus solide que les meilleurs cotons égyptiens! Après tout, pourquoi tant de soins si une voile en tissu synthétique ne peut permettre un peu plus de hâte à serrer l'équipement, voire même un peu plus de négligence?»

Tout doux l'ami! Il est vrai que les tissus synthétiques ont beaucoup amélioré la résistance des voiles. Mais quoi qu'on en dise, le meilleur dacron peut se piquer de mildiou, s'étirer en certains endroits ou être déformé par de mauvais plis.

La diminution de rendement qui en résulte n'affectera sans doute pas trop les petites balades, mais pour les longues distances, surtout au louvoyage, la différence sera très appréciable. Et en régate, une voile imparfaite présente un handicap presque insurmontable.

Une coque de croisière, moins astiquée et bichonnée qu'une coque de course, présentant même des aspérités ici et là, pourra tout de même mener son propriétaire là où il le désire si les voiles sont bonnes, tandis que la plus belle coque de course, lisse comme le fini d'un piano, pataugera lamentablement sur place si les voiles sont déformées.

CONSEILS PRATIQUES

1. Serrez et transportez toujours vos voiles dans des sacs imperméables (de préférence une seule voile par sac). Les sacs devront toujours être assez grands pour que chaque voile puisse y être roulée avec un minimum de plis. A la fin de l'hiver, il sera bon de sortir les voiles quelques jours avant la première sortie et de les étendre au soleil sur des cordes à linge ou, mieux, sur du gazon sec.

2. Ne transportez pas vos voiles à bord de votre bateau en les entassant dans le fond mouillé d'un youyou. Gardez-les sur vos genoux ou déposez-les sur un banc jusqu'au moment où vous serez prêt à les installer.

3. Lorsque vous maniez votre ancre ou vos aussières de mouillage, prenez garde de ne pas transformer votre foc en natte pour vos pieds! Ce n'est pas seulement la boue et l'eau qui sont à craindre à ce moment, mais aussi les glissades et les déchirures qu'un faux pas peut si rapidement provoquer.

4. Lorsque vos voiles ont été mouillées par les vagues ou les embruns, faites-les sécher aussitôt rentré au port. Si vous devez naviguer assez longtemps avec une grand-voile de coton mouillée à sa base, relâchez un peu sa ralingue de bordure en desserrant le point d'écoute sur le gui. Le rétrécissement inégal d'une ralingue et d'une voile mouillée a pour effet de créer des faux plis ou des distensions dans la toile, abîmant ainsi la régularité de la coupe.

5. Lorsqu'il pleut, évitez de vous servir de vos meilleures voiles; raidissez moins la drisse pour éviter des distensions le long du mât. Chaque année, on voit de belles voiles neuves complètement déformées parce que cette précaution a été négligée. Et pourtant un petit ajustement au bon moment prend si peu de temps!

6. Ne faites jamais sécher vos voiles en les laissant claquer au vent, surtout sans surveillance. Une seconde d'inat-

tention suffit pour qu'elles se coincent, se déchirent contre une partie du gréement ou contre un autre bateau durant une rafale.

7. Suivez scrupuleusement les instructions livrées avec chaque voile neuve. Ce n'est pas pour vous ennuyer que le fabricant vous donne certaines spécifications, mais bien pour vous rendre service.

Ce n'est pas pour rien qu'on appelle les voiles la «garde-robe» du bateau!

Chiffonnée, salie ou pleine de plis, une voile, comme une robe, est une injure à la beauté!

Chapitre VIII

LE MYSTÈRE DU VENT SUR LES VOILES

«Je comprends que, lorsque le vent souffle dans mon dos, je sois poussé en avant. Mais que le vent me permette d'aller *contre* la direction d'où il souffle, voilà qui me dépasse! Avouez que cela semble invraisemblable sinon un peu mystérieux! Pouvez-vous l'expliquer?»

Présentée de cette manière, la question est en effet intrigante. Elle m'a été posée si souvent, à bord (entre autres par des gens assez versés dans divers domaines scientifiques), qu'il semble utile de la résumer le plus simplement possible.

Comme vous vous en doutez, le problème n'est en réalité pas si simple. Il est même très complexe et c'est pourquoi je demande aux ingénieurs, aux physiciens (et surtout aux navigateurs!) de fermer les yeux sur les nombreux facteurs qu'il est préférable d'omettre pour ne pas faire de ce chapitre un cours aride et indigeste sur l'aérodynamique.

Supposez donc qu'au lieu d'être poussé dans le dos par le vent dans la rue, vous l'êtes sur la glace, en patins ou sur la neige, en ski.

Si vous ne vous contentez pas de vous laisser pousser dans la direction du vent, mais que vous donnez à vos patins ou à vos skis un angle d'un côté ou de l'autre, vous admettrez que votre direction pourra faire avec celle du vent un angle d'autant plus grand que les lames de vos patins ou les carres de vos skis seront plus aiguisées, s'opposant à tout dérapage latéral.

Voilà (très en gros!) comment les hommes ont navigué pendant des siècles avec les voiles carrées ou rectangulaires des gréements d'autrefois.

Avec une coque et une quille construites de manière à offrir une faible résistance vers l'avant et une forte résistance de côté, et en orientant ses voiles, le voilier pouvait ainsi naviguer avec le vent presque de travers.

Mais lorsqu'il s'agissait d'aller, à partir du vent de travers dans une direction «remontant» le vent, non pas directement, bien sûr, comme pourrait le faire un bateau à moteur, mais à un certain angle, d'un côté ou de l'autre, on pestait contre le «vent contraire» ... et on attendait!

Les premiers à pouvoir «remonter» le vent furent les Arabes, avec leur gréement «latin».

La voile *latine* (origine du mot: «a la trina», qui veut dire triangulaire, et non pas du pays latin!) est soutenue par une *antenne* croisant le mât comme la vergue d'une voile carrée *(fig. 1)* mais *apiquée* (dressée) de manière à présenter au vent un côté rigide de son triangle, le reste de la toile formant une courbe analogue à celle d'une aile d'oiseau.

Ce gréement permet de «serrer» le vent passablement plus qu'au vent de travers, tantôt sur un bord, tantôt sur l'autre. La succession de ces *bords* (distances ou temps parcourus

Fig. 1   Voile latine apiquée.

avec le vent du même côté de la voile) a donné *le louvoyage*, qui permet ainsi de se rendre, en bords successifs, dans une direction d'où souffle le vent.

Mais l'encombrement créé par l'antenne et surtout la difficulté de manoeuvre des voiles latines empêchèrent celles-ci de s'étager sur les mâts comme les voiles carrées. C'est pourquoi ce genre de gréement ne fut utilisé que sur des bateaux relativement petits.

Aujourd'hui, on le retrouve encore, très allégé, sur des canots à voile *(fig. 2)*. Mais ceux qui ont louvoyé avec ce genre de voile comprennent mieux le vieux dicton marin: *«Au louvoyage, deux fois la route, trois fois le temps, quatro fois la rogne!»*

Fig. 2   Petit dériveur à voile latine.

N'empêche que c'est ce genre de gréement, ainsi que d'autres dérivés comportant des vergues de suspension obliques, qui furent les ancêtres du gréement *aurique*, dit «de goélette» *(fig. 3)*, où le haut de la voile trapézoïdale est soutenu par une *corne*, ou *pic*, et son angle d'attaque complètement enverguée sur le mât.

Les premières voiles auriques furent combinées avec les voiles carrées, d'abord comme voiles d'évolution, puis pour permettre une meilleure remontée au vent, tout en gardant la puissance des voiles carrées au vent venant de travers ou de l'arrière *(fig. 4)*.

Mais les marins étant renommés pour leur conservatisme, des centaines d'années passèrent avant que le gréement aurique ne se généralise.

Puis, peu à peu, les coques et les quilles s'affinèrent, les gros «châteaux avant et arrière» disparurent pour diminuer la résistance au vent et l'on découvrit alors (oh! surprise)

Fig. 3   Gréement aurique, ou à corne.

Fig. 4   Gréement aurique mixte: goélette à voiles carrées et auriques.

qu'un bateau pouvait *faire route contre la force qui le propulse: le vent.*

(Vous avez hâte de savoir *comment*, et ça se comprend! Patience! Encore quelques lignes et nous y serons!)

Dès que le louvoyage fut rendu plus efficace par des voiles auriques de plus en plus *apiquées* et des coques de plus en plus affinées, on accepta la remontée au vent plus par empirisme que par connaissance réelle du phénomène. Certains se doutaient de ce qui se passait, mais d'autres n'y comprenaient absolument rien, comme le prouvent les commentaires erronés et les descriptions fantaisistes de maints navigateurs de cette époque.

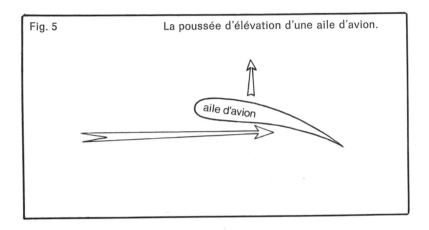

Fig. 5   La poussée d'élévation d'une aile d'avion.

aile d'avion

On crut pendant longtemps, en particulier, que c'était la surface exposée au *vent* qui assurait la propulsion et était donc la plus importante.

Mais il fallut les premières expériences de l'aviation pour s'apercevoir combien on était dans l'erreur! L'étude des ailes d'oiseaux, des cerfs-volants et des ailes d'avion fit découvrir ce phénomène, bien connu aujourd'hui, qu'une surface concave placée dans un courant d'air parallèle à son plan de base tend à s'élever *(fig. 5)*.

Pensez à la lessive qui sèche au vent, au parapluie qu'on a peine à empêcher de monter, à la cuillère qui remonte lorsqu'on la traîne dans l'eau et vous avez trois exemples de la poussée d'un fluide contre une surface concave.

Transposez maintenant le «plan de base» horizontal de l'aile en un plan vertical, ou presque, pour la surface concave d'une voile, dont le bord d'attaque est au mât (ou à la draille pour un foc) et faites souffler le vent à un angle aigu, contre le bord d'attaque. L'«élévation» de l'aile d'avion devient *une poussée vers l'avant pour le bateau (fig. 6)*.

Cette poussée est le résultat non pas tellement de la pression exercée sur la surface concave de la voile présentée contre le vent que surtout de *la dépression* (sorte de succion) *exercée sur le côté convexe* de la voile. Ce courant

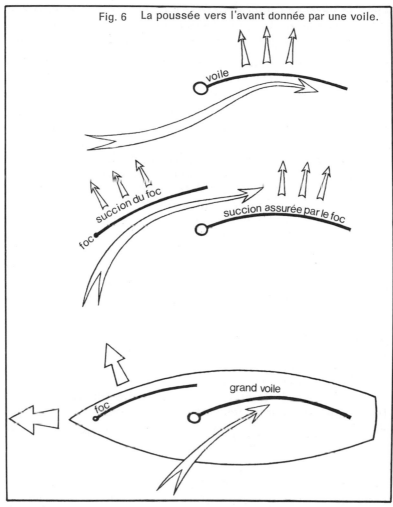

Fig. 6 La poussée vers l'avant donnée par une voile.

voile

succion du foc

foc

succion assurée par le foc

grand voile

foc

d'air de succion est encore accru par l'«effet de cheminée» obtenu par un foc qui accélère la fuite de l'air «derrière» la grand-voile et augmente encore la poussée propulsive.

Cette poussée est évidemment loin d'être égale à celle du vent car une bonne partie de celui-ci se «gaspille» en glissant vers l'arrière et en poussant le bateau de côté.

Mais le dérapage latéral (dérive) étant d'autant plus réduit que la coque et la quille s'y opposent, la poussée vers l'avant restera encore assez forte pour propulser le bateau.

Plus le bateau marchera vite, plus la résistance de l'eau contre le plan anti-dérive (coque et quille) sera grande et plus le vent sera converti en poussée propulsive utile.

C'est ce qui explique pourquoi, au moment où, après avoir fait face au vent à un quai ou une bouée d'amarrage tout en hissant les voiles, on place le bateau sur un bord serré pour démarrer en remontant le vent plus «haut» que le vent de travers, la vitesse étant encore presque nulle ou très faible, le dérapage de côté est très fort. Mais il diminue au fur et à mesure que le vent exerce de plus en plus sa «poussée-succion» sur les voiles, que la vitesse augmente et que l'eau «appuie» mieux le plan «anti-dérive» du bateau.

C'est un peu comme si on disait que les formes de la coque aident la propulsion vers l'avant d'autant plus que l'eau est plus «dure» contre le plan anti-dérive quand la vitesse augmente, tandis qu'elle est plus «molle» quand la vitesse est faible, le vent faisant alors plus dériver qu'avancer.

Il y a encore bien d'autres facteurs qui «gaspillent» l'énergie du vent lorsqu'on veut faire route contre lui. Ainsi la résistance offerte par le gréement, la gîte (inclinaison latérale), les parties émergées de la coque, auxquelles s'ajoutent les coups de la coque donnés contre les vagues et la friction de l'eau contre les parties immergées.

Tous ces facteurs agissent au détriment de la propulsion, d'autant plus que le bateau a moins de masse.

Un petit voilier léger y sera donc plus sensible qu'un voilier lourd, bien profilé, qui met plus de temps à démarrer mais qui a plus d'inertie (force vive) pour continuer sa marche une fois lancé.

Mais le principal facteur de propulsion reste cette *poussée-succion* créée par le côté *convexe* de la voile qui *tire* le bateau vers le côté de l'avant, mouvement transformé en direction de la proue par les formes de la coque.

Cette force s'analyse mathématiquement par le parrallélo-gramme des forces bien connu des physiciens; mais pour le faire avec précision, il faudrait tenir compte de plusieurs autres facteurs, dont celui du *«vent apparent»,* dont il faut tout de même dire un mot, car il influence le réglage des voiles dont nous traiterons plus loin.

Le vent apparent est celui dont la direction est la *résultante* (combinaison) *du vent régnant* (vrai) avec le vent «person-nel» créé par la marche du bateau.

Qu'est-ce que ce «vent personnel»? C'est le vent que re-çoit, de face, un motocycliste ou un skieur qui se déplace par air calme. C'est aussi le vent qui fait flotter le fanion (guidon de club) d'un bateau à moteur dans le sens de la marche, toujours par air calme.

Supposez maintenant que le motocycliste, le skieur ou le bateau à moteur avance avec le vent droit dans le dos, souf-flant à la même vitesse que la sienne. Ce vent dans le dos sera annulé par le vent créé par le mouvement en avant et le skieur ou le motocycliste ne sentira plus aucun vent contre sa figure, tandis que le fanion du bateau pendra com-me par un jour sans vent. Le vent apparent est ici nul.

Si le vent vient exactement de côté, à 90°, à la même vitesse que la progression en avant, le vent apparent sera la résul-tante du vent régnant et du vent «personnel» *(fig. 7).* Le fanion du bateau flottera à 45°.

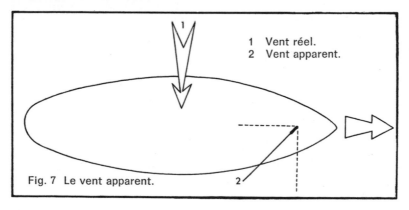

1 Vent réel.
2 Vent apparent.

Fig. 7 Le vent apparent.

Ainsi, quelles que soient la force et la direction du vent régnant par rapport à un bateau en marche, la direction du vent frappant les voiles sera toujours celle du vent régnant *dévié,* modifié par le vent «personnel» créé par la marche du bateau.

Comme tout ceci se calcule et s'exprime graphiquement au moyen des parallélogrammes de forces, dispensons-nous de ces graphiques et prenez pour acquis que tout ceci est *vrai et prouvé.*

Retenons seulement qu'une fois tous les facteurs de «gaspillage» déduits, il ne reste qu'environ 25% de la force du vent réel pour propulser le bateau au louvoyage. De cette force, les ¾ proviennent du côté «sous le vent» (opposé au vent, convexe) des voiles. C'est dire combien la coupe des voiles et leur entretien sont importants!

LES ALLURES

Les différents angles sous lesquels le vent peut frapper vos voiles pour faire avancer votre yacht se nomment *les allures.*

Lorsque vous remontez le vent en vous rendant vers un point situé du côté d'où vient le vent, soit sur un même bord, soit en louvoyant, l'allure est dite *au plus près,* car comme nous l'avons dit précédemment, vous naviguez alors le plus près possible du vent. Le «plus près» comprend tous les angles compris entre environ 45° de l'avant et le travers, la perpendiculaire au bateau *(fig. 8).*

Certains yachts de course peuvent remonter le vent un peu plus près que 45°, jusque vers 40°, mais au-delà le vent fait *faseyer* (battre) les voiles comme un drapeau, détruisant leur courbe et annulent les poussées décrites plus haut. C'est d'ailleurs ce qu'on fait volontairement pour arrêter le bateau *en lofant* (en montant face au vent).

Lorsque le vent frappe les voiles à des angles compris entre le vent de travers et l'arrière du bateau, ces allures sont dites *les allures portantes,* car alors le vent *porte,* pousse véritablement sur les voiles, au lieu d'agir surtout par succion comme au plus près.

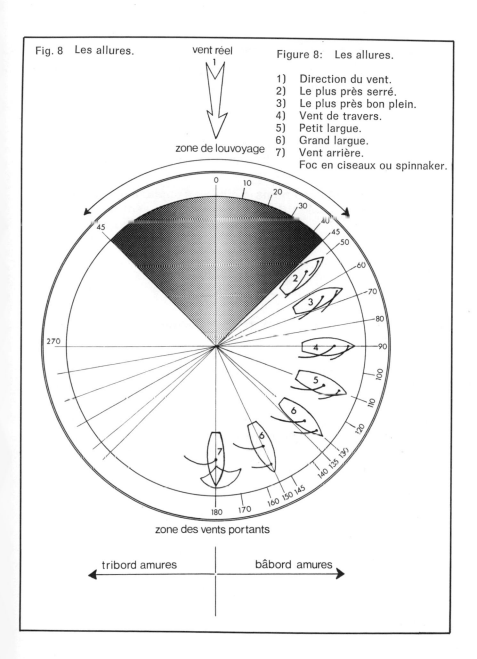

Fig. 8　Les allures.

vent réel

zone de louvoyage

Figure 8:　Les allures.

1)　Direction du vent.
2)　Le plus près serré.
3)　Le plus près bon plein.
4)　Vent de travers.
5)　Petit largue.
6)　Grand largue.
7)　Vent arrière.
　　Foc en ciseaux ou spinnaker.

zone des vents portants

← tribord amures

bâbord amures →

Les allures portantes se divisent comme suit:

Le petit largue, qui est le vent de travers *(fig. 8)*, ou venant un peu de l'arrière du travers.

Le grand largue, qui est entre le vent de travers et le vent arrière.

Le vent arrière, qui est à environ 15° de l'axe arrière de chaque côté du bateau, autrement dit dans un secteur d'environ 30°.

Bien entendu, tous ces noms d'allures s'appliquent aux deux côtés du bateau, selon que vous recevez le vent de tribord *(tribord amures)* ou de bâbord *(bâbord amures)*, l'amure étant le côté de la voile ou du bateau frappé par le vent.

Ainsi, lorsque le vent souffle à 30° sur votre arrière gauche, vous êtes *au grand largue bâbord amures* ou s'il souffle de 45° sur l'avant de votre droite, vous êtes *au plus près tribord amures,* et ainsi de suite.

Lorsque le vent vient droit de l'arrière, on peut faire route soit bâbord amures, la grand-voile étant portée à tribord, soit tribord amures, la grand-voile étant à bâbord, le foc étant du côté opposé «en ciseaux» (sinon il est *masqué,* déventé par la voile) ou remplacé par *le spinnaker,* dont *le tangon* est placé du côté opposé à la voile *(fig. 9).*

Nous verrons plus loin comment régler les écoutes à toutes ces allures, pour que le yacht tire le meilleur parti possible du vent.

Fig. 9   Génois en ciseaux au vent arrière.

Chapitre IX

APPAREILLONS!

«Futur pilote, médite bien ce dicton:
Barrer n'est certes pas affaire de veine
Et ne donne que déboires au fanfaron
Dominer le vent peut s'apprendre sans peine
Mais seulement si tu ne te crois pas trop bon
Pour manier foc, grand voile et misaine
Commenceras avec amour et précaution
Car pour devenir excellent capitaine
Apprendras d'abord à être bon moussaillon!»

Espérons, ami lecteur, que vous avez eu la sagesse de faire votre apprentissage de mousse avec un expert!

Prenons donc pour acquis que vous êtes maintenant prêt à faire votre première sortie en qualité de barreur ou de «skipper» désireux de gagner ses galons à la grande école de l'expérience.

Appareiller, c'est lever l'ancre, larguer (détacher) les amarres qui retenaient votre bateau à son quai ou à son mouillage.

Mouiller, c'est, au port, mettre le point final à votre excursion en remettant votre bateau à l'ancre, à son quai ou à son *corps-mort,* ce poids fixe qui, par l'entremise de votre bouée, maintient votre bateau à l'emplacement que vous lui avez choisi.

Entre ces deux actions: appareiller et mouiller, que de manœuvres et que de joie à naviguer! Pour que cette joie ne se transforme pas en désagrément et en mauvaise humeur, il convient de savoir exactement ce que vous avez à faire.

Chaque voilier a ses propres particularités. Mais nous pouvons généraliser les manœuvres en supposant que, comme la grande majorité de ses frères d'aujourd'hui, votre voilier est un sloop gréé en Marconi.

Après avoir vérifié votre gréement dormant (en particulier l'égalité de tension des haubans), vous vous assurez que les drisses sont bien libérées (ou démêlées!) jusqu'à leur poulie au mât.

Commencez alors par placer les *coulisseaux* (glissières) de votre grand-voile sur le chemin de fer du mât et sur celui du gui, ou si ceux-ci sont à *engoujures* (rainures), insérez les *ralingues d'envergure et de bordure* dans les rainures correspondantes *(fig. 1)*.

Fixez ensuite le point d'amure au *vît-de-mulet (fig. 2)* et le point d'écoute à l'arrière du gui. Ce faisant, veillez à ce que la toile soit tendue également le long du gui, mais pas trop, surtout si la brise est légère.

Plus d'une belle voile a ainsi été déformée pour toujours par une trop grande tension donnée à sa ralingue de bordure.

Que le point d'écoute à l'arrière du gui soit fixé sur un petit chemin de fer ou par une cordelette à un taquet, veillez dans l'un ou l'autre cas que la cordelette de réglage puisse être facilement et rapidement détachée en cas d'incident ou d'avarie. Donc pas de nœuds compliqués ni de bouts de corde emmêlés! (Voilà une bonne occasion d'appliquer vos connaissances en matière de nœuds marins!)

Enfin crochez le mousqueton de la drisse au point de drisse, puis *ferlez* (roulez) sommairement votre grand-voile sur le gui et si la brise menace de déployer la toile ou de l'agiter en tous sens, installez un ou deux *rabans de ferlage* provisoires (les meilleurs sont des cordelettes élastiques appelés *sandows*).

C'est maintenant au tour du foc d'être mis en place, d'abord par son point d'amure, ensuite par ses mousquetons sur sa *draille,* puis *capelé* (attaché) à sa drisse et enfin à ses écoutes par un mousqueton. Celui-ci doit être prévu pour ne pas s'ouvrir en cours de route ni s'accrocher le long des haubans en virant de bord.

Fig. 1 et 2   La ralingue d'envergure, le point d'amure. ▶

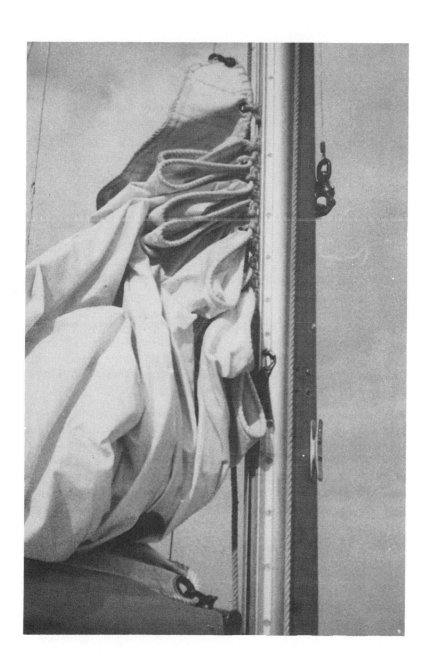

Bien entendu, vos écoutes auront été libérées d'avance *(fig. 3)* et choisies assez grosses pour que vous puissiez les *haler* (tirer) par bonne brise sans vous scier les mains! Mais elles devront aussi être assez minces pour pouvoir passer facilement, même mouillées, dans leurs poulies.

Dès vos premières sorties, vous serez surpris de constater combien une corde mouillée semble toujours prête à conspirer pour s'emmêler, se tordre sur elle-même et même créer des nœuds comme par génération spontanée! Surveillez toujours ces tendances fantaisistes, car une écoute coincée dans une poulie peut vous mettre dans de beaux embarras . . .

Si votre bateau est un dériveur, abaissez maintenant votre dérive au moyen de son palan et mettez en place votre gouvernail, vous assurant en même temps qu'il joue librement.

Vous êtes maintenant prêt à hisser vos voiles, ce que vous faites au moyen des *drisses.* Que ce soit à la main ou au moyen d'un *winch,* raidissez bien vos drisses, car même si elles sont en acier, elles auront toujours tendance à s'étirer un peu en marchant. C'est pourquoi un *palan d'étarquage* facilement accessible est toujours un précieux complément de réglage *(fig. 4).*

Une voile qui présente au vent un bord d'attaque zigzagant, plissé perd une bonne partie de son efficacité. De plus, c'est le meilleur moyen d'abîmer la coupe, la fameuse courbure dont nous avons déjà parlé.

Si vous voulez vous faire une idée de ce qui se passe en pareil cas, pensez à un veston trop étroit boutonné sur un ventre trop gros, mais avec cette différence qu'un veston n'est pas un moyen de propulsion!

Vos voiles claquent maintenant à la brise, faseyent et votre bateau semble avoir hâte de partir. Ne se démène-t-il pas comme un jeune coursier qui a hâte de galoper?

Supposons que le vent souffle, soit droit, soit à un angle contre le rivage et menace de vous y jeter si vous n'appareillez pas correctement *(fig. 5).*

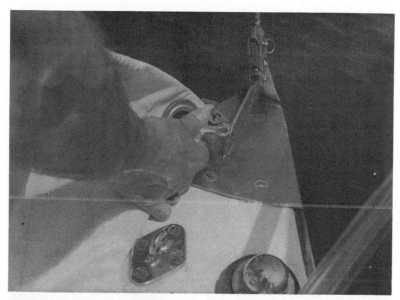

Fig. 3   La mise en place du foc.

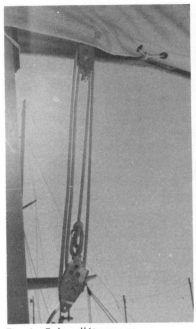

Fig. 4   Palan d'étarquage.

Nous avons choisi d'illustrer ce cas, car toute autre direction du vent rend l'appareillage plus facile, puisque même en cas d'erreur, votre yacht sera poussé vers le large, vous laissant plus de temps pour régler vos voiles ... et respirer.

Le rivage faisant une courbe vers votre gauche, vous voulez donc partir vers votre droite, où vous avez de l'eau pour manœuvrer. Vous devrez donc appareiller en dirigeant votre étrave vers la droite, recevant le vent sur le côté gauche de vos voiles, donc *bâbord amures*.

En commençant cette manœuvre, ne vous laissez pas tenter par l'idée de saisir une pagaie ou une gaffe pour pousser votre bateau dans la direction désirée; gardez ce geste comme ultime protection pour le cas (improbable, espérons-le!) où vous seriez vraiment désemparé et dites-vous que le bon navigateur que vous voulez être n'a besoin que de ses voiles ... et de sa tête pour appareiller!

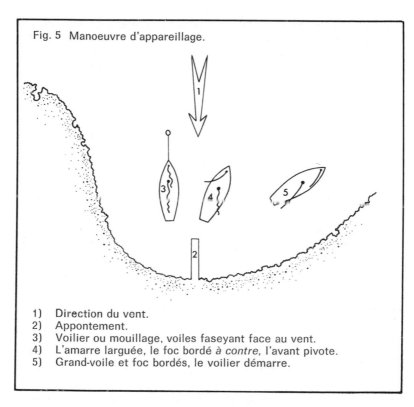

Fig. 5 Manoeuvre d'appareillage.

1) Direction du vent.
2) Appontement.
3) Voilier ou mouillage, voiles faseyant face au vent.
4) L'amarre larguée, le foc bordé *à contre,* l'avant pivote.
5) Grand-voile et foc bordés, le voilier démarre.

De plus, dans la position où vous êtes, un coup de pagaie ou de gaffe raté, ou trop fort, suffirait à vous transformer en toupie et à vous pousser précisément là où vous ne voulez pas aller, en plus de vous priver du plaisir de partir «en marin»! Vous pourrez cependant orienter votre étrave dans la bonne direction par la manœuvre suivante:

Pour diriger votre étrave vers la droite, commencez par *border* (tendre) votre foc *à bâbord (à contre),* ce qui a pour effet d'offrir sa surface au vent et de faire pivoter le bateau vers la droite.

C'est le moment de détacher votre amarre et de border votre écoute de grand-voile, ce que vous ferez prestement pour éviter que votre étrave ne frappe votre bouée ou votre quai. En effet, dès que vos voiles commencent à tirer, le bateau se met en mouvement. Si donc vous restez trop longtemps amarré avec les voiles hissées, le bateau se comporte un peu comme un bronco fougueux: il rue, se cabre, se frappe contre n'importe quoi... et naturellement se blesse!

Plus d'égratignures, de fentes ou de trous se font aux coques à cet instant de l'appareillage que pendant des journées entières de navigation! Et comme rien n'est plus vexant que d'endommager son bateau avant même d'être parti, ouvrez l'oeil!

Etant maintenant libre de tout lien avec la terre, vous bordez l'écoute de votre grand-voile de manière à ce que celle-ci prenne bien le vent, c'est-à-dire en rapprochant le gui du cockpit d'autant plus que vous voulez ou devrez remonter le vent de plus près. (Nous étudierons les manœuvres et réglages à faire selon les allures au prochain chapitre.)

Le vent ayant maintenant donné à vos voiles leur courbure naturelle et les remplissant, votre mât s'incline, faisant gîter le bateau. N'ayez pas peur de cette gîte et dites-vous qu'à l'exception du vent arrière, un voilier ne marche jamais «debout», droit comme un bateau à moteur!

Si la gîte devient trop forte, cependant, ou si votre voilier est un dériveur léger, sans ballast, asseyez-vous et faites asseoir vos passagers *au vent* (du côté le plus haut) pour contrebalancer cette gîte *(fig. 6)*.

Le point extrême de gîte normal est celui où le bord de votre pont commence à effleurer l'eau de côté opposé au vent, *sous le vent*.

Faire traîner le pont dans l'eau est peut-être émotionnant et amusant pour les amateurs de sensations, mais un tel angle ne permet jamais à un voilier de louvoyer normalement. Le vent glisse alors par-dessus la voile au lieu de passer du mât vers l'arrière, le bas des haubans accroche l'eau et la dérive ou la quille n'empêche plus le dérapage latéral. Résultat: on dérive presque autant qu'on avance.

Fig. 6   Faites asseoir vos passagers *au vent*.

De plus, dans le cas d'un dériveur, l'énorme bras de levier que représentent le mât et les voiles peut entraîner très facilement le bateau à verser au moindre coup de vent un peu sec. Ce n'est pas pour rien qu'on dit qu'un dériveur doit toujours louvoyer aussi droit que possible.

Même un voilier à quille, bien lesté, donc inchavirable, ne gagne rien à trop gîter, car les formes de sa coque sont dessinées pour une gîte normale, au-delà de laquelle l'eau s'écoule moins bien le long des flancs et résiste à l'avancement, tandis que l'action du gouvernail (donc le contrôle du bateau) diminue et la dérive augmente.

Si le vent souffle assez fort pour que vous ne puissiez maintenir une gîte normale, c'est signe qu'il faut diminuer la toile, *prendre des ris*. Avec les anciens *points de ris* (petites garcettes attachées en rangées au bas de la voile), c'était une opération assez délicate qu'il valait mieux faire à l'abri ou au port plutôt qu'au large.

Mais aujourd'hui, avec le gui à rouleau moderne, l'opération est plus facile, pourvu qu'on prenne soin de garder la toile bien tendue sur le gui au fur et à mesure qu'on le tourne.

En dépit des hurluberlus qui se vantent de ne jamais prendre de ris, c'est un signe de sagesse et de bonne connaissance de la navigation à voile que d'appliquer le proverbe marin: «Faire la toile du temps», c'est-à-dire savoir adopter la surface des voiles à la force du vent.

Sauf peut-être en compétition, où l'on craint de perdre du temps à prendre des ris durant la course, et où l'on sait d'avance que l'on court certains risques pour gagner, il est toujours ridicule de volontairement porter trop de toile quand le vent se met à souffler. On n'avance pas mieux (au contraire!), on fatigue le gréement et on risque de le casser.

Dès que vous serez en marche, vous remarquerez sans doute qu'en lâchant la barre pendant un instant votre voilier a tendance à remonter de lui-même dans le vent, *à lofer*. C'est un signe que votre voilier est bien construit, bien équilibré. Il est dit «ardent».

C'est une sécurité, car en lofant, nous avons vu que la gîte diminue et avec elle la vitesse. Ce sera donc une manoeuvre facile à faire lorsque vous trouverez que le vent devient trop violent ou lorsqu'une rafale vous fera brusquement gîter de manière inquiétante.

C'est aussi la manœuvre que vous vous exercerez à faire avec précision pour savoir sur quelle distance il vous faut lofer pour arrêter votre bateau et arriver en douceur à un quai et à votre mouillage.

Si, par malheur, votre bateau cherche à s'éloigner du vent de lui-même, il est dit «mou». C'est là un défaut plutôt sérieux, car la barre maintenue continuellement sous le vent rend toutes les manoeuvres plus difficiles.

A moins de pouvoir soit déplacer le mât vers l'arrière soit diminuer beaucoup la surface du foc, un bateau mou ne se corrige qu'en revisant complètement le rapport du centre d'effort du gréement dormant et des voiles avec le plan «anti-dérive» de la quille ou de la dérive. C'est un travail de reconstruction partielle qu'il vaudra mieux n'entreprendre que sous la direction d'un expert.

Si votre appareillage devait se faire avec le vent soufflant parallèlement au rivage, vous n'auriez qu'à pousser votre étrave (soit à la main, en partant d'un quai, soit avec la manoeuvre du foc inversé, d'un quai ou d'une bouée) et prendre la bordée qui vous éloignera le plus vite du rivage.

Enfin si le vent souffle du rivage, vous faisant appareiller au grand largue ou au vent arrière, il vaudra mieux ne partir qu'au foc, hissant la grand-voile lorsque vous aurez assez d'eau autour de vous pour lofer un instant sur votre élan et border les écoutes selon l'allure que vous prendrez.

Dans ces deux cas, vous devrez agir assez rapidement pour que la voile puisse être bordée aussitôt hissée et ne pas risquer de se remplir avant d'être bien établie.

Toutes ces manoeuvres étant beaucoup plus faciles par brise légère ou moyenne, faites-les souvent, en vous exer-çant à appareiller à des angles différents, avant de vous risquer avec une brise plus forte ou ponctuée de rafales.

La forte brise et les rafales vous donnent des départs impé-tueux, mais la moindre erreur doit pouvoir alors être corri-gée en une seconde, sinon c'est le cafouillage!

Rappelez-vous qu'un voilier n'a pas de freins!

Chapitre X

UN POINT DÉLICAT:
LE RÉGLAGE DES VOILES

De ce qui précède, ainsi que des quelques manoeuvres indiquées au chapitre IX au sujet de l'appareillage, vous avez pu déduire que le réglage des voiles doit toujours être fait en fonction de la direction du vent par rapport à la route du bateau.

Comme le vent est extrêmement capricieux et varie presque continuellement en force et en direction, il convient de savoir d'où il souffle non seulement au moment de l'appareillage, ce qui est relativement facile, mais surtout en naviguant, près du rivage aussi bien qu'au large.

Entraînez-vous donc à observer en tout temps les choses suivantes:

1. *Les pavillons, fanions et girouettes* sur les maisons et les bateaux.
2. *Les faveurs, rubans, penons, flammes et guidons de club.*

Ce sont les petits morceaux d'étoffe ou de fil fixés aux haubans ou en tête de mât précisément pour indiquer la direction du vent. Ils flottent en suivant *le vent vrai* s'ils sont sur des bateaux immobiles ou à l'ancre. Mais si le bateau avance, ils ne donnent que *le vent apparent* dont nous avons parlé au chapitre VIII.

3. *La fumée* (d'où qu'elle sorte!).
4. *Les arbres*, dont les branches et les feuilles se tournent avec le vent.
5. *Les bateaux à l'ancre.* Comme les girouettes, ils tournent avec le vent. Mais la direction qu'ils prennent ne donnent le vrai vent que s'il n'y a pas de courant de travers ou de l'arrière. Sinon vous devez tenir compte de la force du courant par rapport à celle du vent pour trouver la déviation de direction donnée par le bateau observé.

6. *Les risées.* Ce sont les vaguelettes sombres, semblables à des rides, que le vent provoque à la surface de l'eau, que celle-ci soit calme ou agitée. Leur déplacement correspond à la direction du vent.

7. *Le faseyement de la voile.* Si vous êtes amarré ou mouillé à peu près face au vent, une voile hissée se met immédiatement à faseyer et flotte donc dans la direction du vent. Cette direction est plus exacte que celle des risées ou des bateaux à l'ancre qui subissent les variations du vent au raz de l'eau, tandis qu'à une certaine hauteur le vent garde une direction plus constante.

Pour savoir exactement d'où vient le vent en faisant voile (en naviguant), il suffit de vous rappeler qu'un voilier ne peut remonter le vent qu'à environ 45°. Plus près du vent, la voile faseye et le bateau ralentit. Ce faseyement vous sera donc utile pour préciser la direction du vent lorsque celui-ci change souvent de direction, lorsqu'il tombe presque complètement et se remet à souffler dans une nouvelle direction, ou lorsque la brise est si légère que le guidon et les penons ne flottent guère, ou encore de nuit, lorsque vous voyez mal les penons ou les risées.

Quelle que soit l'allure à laquelle vous soyez alors, vous n'avez qu'à diriger votre bateau lentement vers le vent jusqu'à ce que la voile commence à faseyer près du mât. Vous saurez qu'à ce moment le vent vient à peu près de 45° de l'avant.

8. *Le doigt mouillé.* Ce vieux truc n'est guère précis, mais il peut tout de même vous renseigner à défaut d'autre chose. Levé dans le vent, un doigt mouillé devient plus frais du côté d'où souffle le vent.

Comme la peau du visage est plus sensible que celle des doigts, rappelez-vous que, surtout lorsqu'il fait chaud, le côté de votre figure le plus près du vent sera nettement plus frais que l'autre. Lorsque vous serez bien habitué à observer toutes ces petites choses, il vous deviendra plus facile de régler vos voiles avec précision aux différentes allures.

Entre les deux allures extrêmes, *le vent arrière,* où les voiles sont déployées en travers du bateau (à 90°), et *le plus près,* où les écoutes sont *embraquées* (tirées) presque au maximum, que de variété dans les réglages possibles!

Bien sûr, il suffit d'une ou deux sorties pour constater que plus on veut *remonter le vent,* le *serrer,* plus il faut rapprocher les voiles de l'axe longitudinal du bateau et que plus on veut *abattre* (s'éloigner du vent), plus on écarte les voiles de cet axe pour les présenter au vent; celui-ci «pousse» alors le bateau.

Même sans connaître le principe un peu complexe du vent qui «tire» le bateau au plus près (voir chapitre VIII), alors qu'il le «pousse» au largue ou au vent arrière, on se fait la main au réglage des écoutes selon la direction du vent presque aussi facilement qu'on apprend à diriger le guidon d'un vélo selon la direction, la vitesse ou l'équilibre sur la route.

Excepté par brise extrêmement faible, où les réactions du bateau sont difficiles à percevoir sans expérience, on constate très vite que lorsque les écoutes (et par conséquent les voiles) sont bien ajustées, le bateau démarre mieux, prend et maintient mieux sa vitesse, tandis qu'autrement il semble endormi, inerte et fantasque.

Le fait que les réactions du bateau soient assez facilement perceptibles est cependant une arme à deux tranchants: comme il suffit de régler les voiles *à peu près* au bon angle pour avancer et comme il n'y a que *vent debout* (face au vent) qu'on ne puisse le faire, on est très vite tenté de croire que parce qu'on se débrouille assez bien un certain nombre de fois, on en fera toujours autant!

C'est oublier qu'un voilier ne se comporte pas comme un avion, qui peut corriger ses pertes de vitesse par une simple accélération du moteur. A voile, la perte de vitesse entraîne la diminution de la résistance latérale de l'eau au plan «anti-dérive» et à l'action directrice et corrective du gouvernail. Le bateau devient vite incontrôlable et on imagine les incidents qui peuvent en résulter, surtout lorsqu'il y a des obstacles à proximité. Or on sait que la marche d'un voilier est conditionnée par le glissement de la coque et du gouvernail dans l'eau et que ce glissement est provoqué par l'action utile du vent sur les voiles.

On comprend donc facilement que les voiles doivent *toujours* tirer du vent le maximum possible, quelle que soit la force du vent. D'autre part, nous avons vu qu'une partie seulement de la force du vent est convertie en force propulsive, le reste étant «gaspillé» contre des résistances telles que le *fardage* (toutes les parties de la coque qui sont au-dessus de la flottaison), la gîte, la résistance de l'eau, etc.

Il importe donc *de ne jamais diminuer cette fraction propulsive de la force du vent,* puisque c'est elle qui permet de garder le contrôle des évolutions du bateau.

Comment l'action du vent sur les voiles diminue-t-elle le plus souvent? «Lorsque le vent n'est pas assez fort!» répondront les barreurs manquant de finesse. Et souvent ils ajoutent: «Par petite brise, on ne fait pas ce qu'on veut et ça devient difficile et ennuyeux!»

Qu'on aime le gros vent parce qu'il suscite de l'action, des émotions, de la vitesse, soit; c'est un goût qui se compare à celui du skieur qui aime mieux foncer «à tombeau ouvert» en descente qu'évoluer avec art en slalom ...

Mais quand on accuse le vent d'empêcher ou de faire rater des manoeuvres parce qu'il tombe, faiblit ou reste trop léger, c'est souvent parce qu'on ne sait pas régler ses voiles par tous les vents. «L'à peu près» dont se contentent trop de barreurs est camouflé par la forte brise, qui fait avancer malgré de nombreuses erreurs.

Si on n'essaie pas de trouver et de corriger ces erreurs (par exemple en faisant de la régate, ne fût-ce qu'occasionnellement), on peut rester des années à barrer comme un «éléphant», comme conduisent les «cow-boys» de la route qui ne savent qu'écraser leur accélérateur ou leur frein ... Et l'on se prive d'une des plus grandes joies de la voile: *Tirer parti de tous les caprices de la brise.*

De toutes les créations de l'homme, un voilier est certainement la plus vivante, celle qui donne le plus l'impression d'un être animé. Comme les humains, un voilier a son caractère, ses réactions personnelles ... et même ses crises d'humeur.

Convenablement traité et mené, il reste toujours bien «en mains», à la fois docile et fougueux. Mal compris ou bousculé, il devient sournois, prépare des coups pendables et se montre d'une indocilité exaspérante au moment où l'on s'y attend le moins! C'est probablement l'une des raisons qui ont incité les Anglais à donner à un yacht le genre féminin!

QUESTION DE MAIN

Dès vos premières sorties, ne vous contentez pas de «tirer des bords» n'importe comment. Essayez d'acquérir le plus tôt possible une main sensible, aussi bien à la barre qu'aux écoutes.

Le meilleur moyen d'y parvenir sera de tester vos aptitudes (et celles de votre bateau!) à toutes les allures: *au plus près, au plus près bon plein* (un peu moins près du vent), *au vent de travers, au largue, au grand largue* et *au vent arrière.*

C'est d'ailleurs de cette manière que se disputent les régates; c'est aussi la raison pour laquelle vous verrez bien des vétérans de la voile s'entraîner inlassablement, en dehors de toutes courses, à fignoler et à mettre au point leurs réglages, essayant à chaque saute de vent d'obtenir un rendement maximum, comme un cavalier avec sa monture pour un parcours d'obstacles.

La cavalerie et la voile ont à cet égard une parenté si étroite que certains régatiers s'entraînent régulièrement sur des chevaux fringants pendant la saison des courses, rien que pour se faire la main. Le cheval très sensible permet, en effet, d'obtenir ces petits réglages de rênes, ces positions de doigts et de poignets qui sont si essentielles en régate, ou lorsque le vent varie en force ou en direction.

De même qu'un bon cavalier doit sentir sa monture avec tout son corps, par son équilibre, sa prise de rênes et les réactions perçues par ses pieds et ses genoux, de même le yatchtman doit sentir son bateau aussi bien que la brise avec chaque partie de son corps.

Avec un peu d'habitude, vous parviendrez à vous rendre compte de votre angle de gîte rien qu'avec votre siège et à la manière dont vous devez placer vos jambes.

En observant à la fois vos voiles, la résistance de la barre, le passage de l'eau le long du bateau et la direction des vagues, vous parviendrez aussi à percevoir si votre bateau marche bien, non seulement en ligne droite, mais aussi en obtenant la meilleure vitesse possible et en éliminant toute friction ou dérive inutile. Et quand vous arriverez à gouverner aussi bien que d'autres par brise régulière, vous verrez que tout sera à recommencer par vent changeant en force et en direction . . .

Au début, cela vous fera un peu rouspéter, surtout si vous aimez les balades reposantes ou si vous êtes plus préoccupé de vos invités que de votre bateau; mais bientôt, vous serez pris au jeu et, mieux encore, vous ferez partager votre souci de réglage à tout votre équipage, faisant voir qu'à tout moment, *c'est toujours le bateau qui doit avoir la priorité sur tout.*

Voyons donc comment vous vous ferez la main aux diverses allures.

AU PLUS PRÈS

Conscient du fait que les zigzags du louvoyage allongent la route, le barreur novice cherche le plus souvent à serrer le vent de trop près soit en bordant trop ses voiles, soit en se dirigeant trop près du lit du vent. Dans les deux cas, le bateau n'avance pas bien et dérive beaucoup.

De plus, en bordant les voiles trop plates, on n'arrive qu'à détruire la fameuse courbe concave au vent, convexe sous le vent, qui donne la propulsion décrite au chapitre VIII. Les voiles en souffrent, se déforment et vieillissent prématurément!

En partant du principe que c'est à environ 45° de l'axe du vent que votre bateau va *courir* ses bordées de louvoyage

(50 à 60° pour les voiliers de croisière moins «ardents»), habituez-vous à estimer cet angle par celui qui fait l'axe longitudinal de votre bateau avec les lignes parallèles des vagues.

Si le vent *adonne*, c'est-à-dire s'il se met à souffler plus de côté par rapport à votre bateau (ce que vous détectez par le changement de direction de vos *penons* ou de votre girouette de mât), vous pouvez serrer le vent davantage en gouvernant plus près du vent, mais sans aller jusqu'au point où les voiles commencent à faseyer ou même seulement à se soulever un peu en arrière de la ralingue d'envergure *(fig. 1)*.

D'ailleurs, que le vent change de direction ou non, ce début de faseyage est toujours un bon point de repère pour savoir si on pince trop le vent, si *on chicane* (c'est-à-dire si on remonte le vent de trop près). Un léger coup de barre *au*

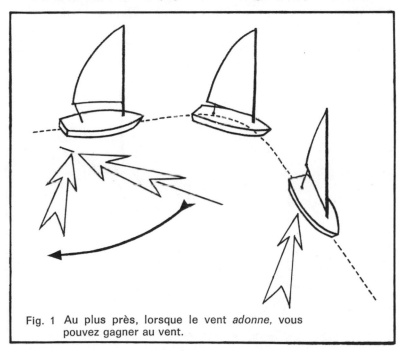

Fig. 1 Au plus près, lorsque le vent *adonne*, vous pouvez gagner au vent.

vent suffit à redonner aux voiles leur pleine courbe et à les faire tirer au maximum.

Vous donnerez aussi ce petit coup de barre au vent lorsque la brise *refusera,* c'est-à-dire lorsqu'elle se mettra à souffler d'un angle plus petit que 45° avec votre avant, comme si elle allait vous faire face. Cette manoeuvre d'éloigner l'avant du bateau du lit du vent s'appelle *arriver* ou *laisser porter (fig. 2).*

Si le vent refuse trop longtemps, vous aurez avantage *à virer de bord* (puisque le vent qui refuse sur un bord *adonne* sur l'autre) ce qui vous permettra de remonter plus haut dans le vent qu'avant le changement de direction.

Au plus près, le réglage des voiles dépendra beaucoup du bateau lui-même. Certains yachts taillés pour la course remontent mieux le vent avec les écoutes bordées à bloc, le gui étant nettement au-dessus de l'arrière du pont, tandis que d'autres (et parmi eux ceux du type «croisière») ne remontent bien le vent qu'avec la voile moins serrée, la

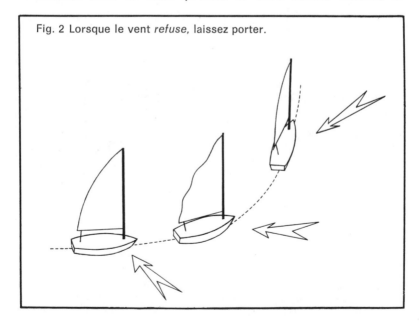

Fig. 2 Lorsque le vent *refuse,* laissez porter.

partie arrière du gui étant à peine au-dessus de la *hanche* du bateau.

Quoi qu'il en soit, il y a toujours plus de dérive au plus près qu'aux autres allures et vous chercherez à profiter de chaque risée ou rafale un peu plus forte pour gagner quelques degrés plus près du vent au lieu de gîter inutilement. Dès que la risée se fait sentir et que la gîte augmente, poussez doucement la barre sous le vent et serrez un peu plus le vent.

Lorsque la risée a passé et que le vent normal revient, vous voyez aussitôt la ralingue d'envergure de la grand-voile et surtout celle du foc commencer à faseyer. *Arrivez* alors légèrement par un petit coup de barre *au vent.* En prenant ainsi avantage de chaque risée favorable, vous gagnerez peu à peu beaucoup de distance au vent, raccourcissant d'autant vos bordées de louvoyage, tout en diminuant l'inévitable dérive.

A propos de gîte, notez que c'est au plus près que la gîte d'un voilier est la plus forte. C'est donc à cette allure qu'il faudra déplacer votre équipage au vent dès que la brise fraîchit, surtout si votre voilier est un dériveur non lesté.

Ce déplacement du ballast humain est la raison d'être des systèmes plus ou moins acrobatiques qu'on voit de plus en plus sur les petits yachts de régate: planches de rappel, trapèze, etc., où l'équipier et même le skipper sont parfois juchés en dehors du pont *(fig. 3).*

Les coups de gîte soudains et fréquents que l'on subit au plus près rendent cette allure plus inquiétante sur les petits voiliers. Mais c'est aussi l'allure la plus sûre, car on peut toujours réagir presque immédiatement par un coup de barre sous le vent pour lofer et annuler l'effet de la rafale.

Si le coup de vent se prolonge, vous *chicanez* tant que c'est nécessaire, mais en prenant garde de toujours conserver assez de vitesse pour gouverner. Autrement dit, en faisant volontairement faseyer vos voiles pour réduire la gîte, on fait précisément ce qu'on essaie d'éviter en temps normal, puisqu'on fait perdre aux voiles de leur efficacité. Trop

Fig. 3   Le lest humain mobile: barreur en rappel, équipier en trapèze.

serrer le vent devient donc une mesure de sécurité (à défaut de ris) à condition de ne pas tomber *en panne*, droit au vent, ni de virer de bord accidentellement en donnant un trop violent coup de barre pour lofer.

Si, par hasard, vous vous faisiez ainsi surprendre en panne en train de lofer trop longtemps, rappelez-vous que votre bateau cherchera à reculer pendant un instant, jusqu'à ce que ses voiles se remettent à tirer. *L'action du gouvernail doit alors être inversée* pour replacer le bateau à un angle qui lui permette de repartir, ses voiles se remplissant de nouveau.

Cette situation où le bateau est en panne est assez délicate, car elle expose à recevoir une nouvelle rafale de vent par le travers, sans possibilité de la parer en lofant puisque le gouvernail est plus ou moins «mort» et ne reprendra son effet que lorsqu'on aura regagné un peu de vitesse.

Reste alors à utiliser le deuxième moyen de faire échec à la gîte: *choquer* (filer, relâcher) les écoutes. L'effet est quasi instantané et le bateau se redresse, mais les voiles faseyent de plus belle, non plus seulement près du mât, mais our touto lour surface. Le foc danse une sarabande effrénée en avant et le gui se balade d'un bord à l'autre en menaçant d'assommer quiconque se trouve sur son chemin.

C'est alors qu'il faut garder son sang-froid ... et les écoutes bien en mains, pour reborder les voiles (ne fût-ce qu'un peu) aussitôt que possible et faire repartir le bateau soit au plus près *en embraquant* (serrant) les écoutes, soit au vent de travers en laissant les voiles faseyer à moitié. Dans les deux cas, le bateau reprend aussitôt un peu de mouvement, le gouvernail fonctionne de nouveau et vous pouvez orienter les voiles de manière qu'elles tirent sans faire trop gîter.

Lorsque vous n'êtes pas en panne, donc sur une bordée au plus près, le fait de filer brusquement l'écoute de la grand-voile est un moyen rapide de redresser le bateau dans une rafale subite; mais comme le bateau perd très vite sa vitesse, il s'agit d'embraquer votre écoute avant de tomber en panne, pour pouvoir lofer ensuite si le coup de vent se prolonge.

Dans les coups de vent très violents, vous pouvez même filer aussi l'écoute du foc, mais toujours un instant après celle de la grand-voile, pour voir si le bateau ne se redresse pas avant de perdre toute sa vitesse.

Ici encore, il faudra embraquer les écoutes le plus tôt possible pour ne pas rester à la merci des éléments. Ceci d'autant plus que s'il s'avère nécessaire *d'amener les voiles* et *de jeter l'ancre*, il faudra être en mesure de *lofer,* ou tout au moins de *chicaner pour le faire.* (Nous verrons cette manoeuvre au chapitre XII).

Tout ceci vous montre *l'importance de toujours garder vos écoutes prêtes à être embraquées ou choquées rapidement,* surtout sur un dériveur léger. Avec les *taquets-coinceurs* modernes, c'est chose relativement aisée, mais sur des taquets ordinaires, gare aux nœuds! *(fig. 4, A et B).*

En résumé, le meilleur moyen de redresser votre bateau au plus près reste de lofer et de chicaner le plus possible, quitte à filer les écoutes en cas d'urgence.

Fig. 4A   Un bon taquet-coinceur de grande écoute.

Fig. 4B   Un taquet-coinceur de pont.

AU PLUS PRÈS BON PLEIN

Si la route que vous voulez suivre ne vous oblige pas à naviguer au plus près serré et à louvoyer dans la direction du secteur d'où souffle le vent mais reste cependant assez près du vent, votre *cap* variera donc entre le plus près serré et le vent de travers (entre 45° et 90° par rapport au vent). *Cette allure est le plus près bon plein.*

Votre route ne sera alors pas réglée par le vent et ses changements de direction, mais ce seront vos voiles qui seront réglées selon votre *cap* (le cap est la direction vers laquelle pointe l'avant du bateau et qui ne donne pas nécessairement la route *vraie,* celle-ci étant modifiée par la dérive ou le courant).

Il s'agira donc de stabiliser votre route en prenant un point de repère le plus loin possible en avant de votre bateau ou en suivant une route au compas. Pointant donc votre bateau dans la direction voulue, vous *choquez* graduellement l'écoute (donc la voile) jusqu'à ce que la voile commence à faseyer.

Arrêtez de choquer (ceci se dit: *Tenez bon!)* et commencez à *embraquer* l'écoute jusqu'à ce que le faseyement disparaisse. Voilà le réglage parfait qui donne à la voile son maximum de propulsion pour la route choisie.

AU VENT DE TRAVERS

N'ayant plus à chevaucher ou à fendre les vagues pour s'y tailler une bordée comme au plus près, c'est au vent de travers et au largue que votre voilier va vous montrer sa vitesse maximum ... s'il est bien mené. Il n'y aura que peu de *tangage* et le roulis dépendra beaucoup de la hauteur des vagues. Faible par brise légère ou moyenne, il ne deviendra appréciable que lorsque les vagues commenceront à déferler, autrement dit lorsque la brise sera assez fraîche *(fig. 5)*.

De plus la dérive sera beaucoup moins forte et vous ne serez plus obligé de gouverner beaucoup plus haut dans le vent pour vous rendre à un point donné.

Ayant donc choisi le *cap* à tenir, vous réglez encore vos voiles en filant graduellement les écoutes jusqu'au début du faseyement, puis en les bordant pour faire disparaître ce faseyement. C'est donc la même méthode de réglage qu'au plus près bon plein, avec cette différence qu'étant à un plus grand angle du lit du vent vous percevrez moins vite les changements de direction de brise puisqu'il n'y aura pas de lofage lorsque le vent viendra plus de l'avant.

Lorsque le vent viendra plus de l'arrière, vous gîterez davantage mais vous avancerez moins vite. Vous aurez donc intérêt à corriger très souvent vos réglages d'écoutes pour vous assurer que vous naviguez bien à la limite du faseyement.

Filez donc fréquemment votre grand-voile pour vérifier où est l'angle de faseyement et bordez aussitôt après. Délicatement exécutés, ces petits réglages ne diminuent pas votre vitesse, tandis qu'un long moment passé à naviguer avec les voiles trop serrées ou trop filées vous ralentit considérablement.

Fig. 5 C'est au vent de travers qu'un voilier atteint sa vitesse maximum.

LES ALLURES PORTANTES

Ici le vent vient de l'arrière du travers. *Le petit largue* est le secteur compris entre l'arrière du travers et le ¾ arrière, donc un secteur d'environ 40°. *Le grand largue* va du ¾ arrière (45°) à 15° de l'arrière. Enfin dans un secteur total de 30° (15° de chaque bord), c'est le *vent arrière*.

Au petit largue, vous avez encore la possibilité de faire faseyer la voile en la choquant, ce qui vous permettra de la régler comme au vent de travers: d'abord filer l'écoute jusqu'au léger faseyement, puis embraquer pour faire disparaître le faseyement.

Mais comme les changements de direction du vent sont encore plus difficiles à percevoir autrement que par les faveurs, penons et girouettes de mât, il faudra surveiller

ceux-ci plus fréquemment et faire de nombreux ajustements *(fig. 6)*.

Au grand largue, même réglage, mais comme le gui ne peut
être filé plus loin que les haubans d'arrière, il peut arriver
que vous choquiez à fond la voile sans arriver à la faire
faseyer. Si la voile est débordée jusqu'à faire angle droit
avec le bateau et si le foc semble moins bien tirer parce
que *masqué* (déventé) par la grand-voile, c'est que vous
êtes au vent arrière.

Si votre route le permet, remettez le cap au grand largue en
pointant un peu plus au vent et réglez de nouveau votre
voile, sinon apprêtez-vous à gouverner franchement au vent
arrière. Au petit et au grand largue le bateau gîte moins,
mais subit plus de roulis. Vous aurez intérêt à le garder le
plus droit possible en faisant asseoir l'équipage dans le

Fig. 6   Au largue, la vitesse est encore bonne, tant que le foc n'est pas
masqué.

cockpit, surtout si le bateau est léger et sensible aux déplacements de poids. S'il s'agit d'un dériveur, vous diminuerez la traînée (friction par résistance) de la dérive en la relevant à moitié ou même plus.

Pour déterminer jusqu'à quel point vous pouvez relever la dérive pour gagner de la vitesse sans nuire à la stabilité ni à la direction du bateau, essayez d'abord de la relever un peu et observez votre sillage derrière vous. Si le bateau ne semble pas dériver de l'axe de votre sillage ni rouler exagérément, relevez encore plus la dérive mais n'allez pas jusqu'à la relever complètement si vous ne voulez pas marcher «en crabe».

La dérive, même très peu descendue, donne toujours un meilleur contrôle de direction. Mais si vous devez changer de cap pour venir au vent de travers ou au plus près, n'oubliez pas de redescendre aussitôt votre dérive, sinon le vent ne fera que pousser de côté en un magistral dérapage!

AU VENT ARRIÈRE

A cette allure, la grand-voile est complètement débordée de côté, à angle droit avec le bateau. Ce qui ne veut pas dire que le gui est aussi choqué à fond, car le haut de la chute de la voile est toujours plus relâchée vers l'avant que le point d'écoute, formant une courbe.

C'est donc la surface *moyenne* de la voile qui doit faire face au vent (à peu près le milieu du triangle) et non le gui, qui devra être un peu plus *embraqué* pour éviter que le haut de la voile ne perde son vent vers sa chute, diminuant donc la poussée propulsive.

Un bon moyen d'éviter un creux trop accentué de la voile est de disposer d'un hale-bas de gui, appelé *vang (fig. 7)*, qui permet par un palan de tirer le gui vers le bas tout en le laissant pivoter autour du mât pour les changements d'amure. Le foc aussi sera débordé de manière à être porté à angle droit du bateau, l'écoute étant filée à fond.

Mais à moins d'être assez près du grand largue, c'est-à-dire avec le vent venant un peu de côté de l'arrière, vous consta-

Fig. 7 *Vang*, ou retenue de gui.

terez que le foc est le plus souvent *masqué* (déventé) par la grand-voile et ne tire plus guère, se promenant nonchalamment de part et d'autre de sa draille.

Lorsque vous aurez pris quelque expérience au vent arrière, aussi bien à la barre qu'aux écoutes, vous apprendrez qu'au vent arrière le foc peut être beaucoup plus utile du côté opposé à la grand-voile. C'est ce qui s'appelle la position *des voiles en ciseaux.*

Le foc est donc traversé en bordant l'écoute du côté opposé à la grand-voile. Il se remplit alors et tire nettement mieux que derrière la grand-voile, ce que vous constatez immédiatement par la traction qu'il exerce sur son écoute.

Mais comme il cherche plutôt à faire «poche» et ne s'écarte guère du bateau, vous le déborderez vers l'extérieur au moyen *d'un tangon de foc,* petit espar articulé au mât et fixé au point d'écoute du foc. (Le modèle le plus pratique est un tube télescopique permettant d'être utilisé avec différentes grandeurs de foc, génois compris.)

L'écoute au vent (côté opposé à la grand-voile) sera bordée de manière à maintenir le foc à peu près à angle droit du vent, avec assez de creux pour qu'il tire bien. Le vent vient donc droit de l'arrière, ou presque, mais ses variations seront difficiles à détecter rapidement.

Les faveurs de haubans ne donnent même plus la direction du vent apparent, car elles sont déviées par le vent s'échappant de la voile et la girouette de tête de mât oscillera selon le roulis. Un fil mince ou un penon fixé au pataras donnera des indications plus précises, mais vous obligera à souvent tourner la tête pour le surveiller!

D'ailleurs comme les vagues et les rafales viennent aussi de l'arrière, il faudra vous habituer à les regarder souvent, car les risées vous tombent dessus à l'improviste et par leur changement de force ou de direction, peuvent nécessiter des réglages de voiles ou des changements de cap. Si vous avez un dériveur, c'est au vent arrière que vous relèverez le plus souvent la dérive, en supprimant sa *traînée* dans l'eau et gagnant donc de la vitesse.

Mais si les vagues rendent votre bateau difficile à gouverner ou si votre route tend à devenir un «slalom» plutôt qu'un cap rectiligne, abaissez la dérive d'un quart, de la moitié ou de toute profondeur qui vous permettra de freiner le roulis et de mieux gouverner.

Lorsque le vent ne vient pas tout à fait de l'arrière mais de quelques degrés du côté «au vent», opposé à la grand-voile, tout va assez facilement et votre cap se maintient sans grands coups de barre. Le bateau reste assez droit et votre navigation est agréable et reposante.

Mais si le vent est changeant ou si le roulis tend à vous faire dévier de votre route en recevant le vent du même côté que la grand-voile, gare à vous! Ceci s'appelle *naviguer à contre.* C'est une situation assez dangereuse, qu'il faut savoir reconnaître immédiatement et dont on se sort assez facilement quand on sait ce qu'il faut faire.

Le vent souffle donc du côté du gui, qui devrait être normalement le côté sous le vent, et au lieu de pousser sagement la voile et le bateau en remplissant la grand-voile, plus ou moins à 90°, il peut se glisser ou s'engouffrer vers la chute de la voile (surtout si celle-ci se promène un peu!) et la faire passer violemment d'un bord à l'autre. C'est ce qui s'appelle *empanner accidentellement.* (Nous verrons les manoeuvres *d'empannage volontaire* pour virer de bord aux allures portantes.)

Vous devinez facilement que la force avec laquelle le gui passe d'un bord à l'autre est quasi irrésistible et que tout ce qui se trouve sur le passage de ce bélier risque d'être frappé avec violence. Si le gui accroche le pataras ou la bastaque au vent, l'un ou l'autre peut casser en un point quelconque et le mât peut ne pas résister à ce choc . . .

Quant à vous ou à vos équipiers, il y a non seulement le risque d'être assommé, mais aussi celui d'être projeté par-dessus bord.

Par conséquent, restez toujours aux aguets et surveillez très attentivement le haut de votre voile, près de la chute. Si vous y remarquez une partie qui cherche à se soulever ou un léger faseyement, cela signifie qu'une partie du vent commence à repousser la voile par derrière et que vous naviguez *à contre.*

Changez immédiatement votre cap en gouvernant plus au vent arrière ou même plus près du grand largue du même bord, quitte à revenir très prudemment au vent arrière si la direction du vent arrière le permet. Sinon, il faudra virer de bord vent arrière (empanner), changer d'amures volontairement en prenant les précautions que nous verrons plus loin.

Enfin une autre chose à surveiller au vent arrière est la traînée du bout du gui dans l'eau. Ceci peut arriver soit au cours d'une forte risée qui fait brusquement gîter et lofer le bateau, soit à la suite d'un roulis excessif qui plonge tout à coup le bout du gui dans une vague.

Dans les deux cas, le freinage intempestif par l'extrémité du gui tend à faire lofer brutalement et à diminuer l'action correctrice du gouvernail. Ou encore cette traînée du gui ne dure qu'un instant, mais suffit à rejeter celui-ci vers l'arrière avec le même résultat que la navigation à contre: l'empanage accidentel.

Bien que ceci soit plus susceptible de se produire avec un petit dériveur à gui assez bas qu'avec un gui porté plus haut, il faut quand même ouvrir l'œil lorsque le bout du gui commence à se dandiner près de l'eau.

La tendance à lofer devra être aussitôt contrée par un coup de barre précis (mais non exagéré!) et le roulis sera réduit par des déplacements de poids ou l'abaissement de la dérive.

Chapitre XI

VIRONS DE BORD!

A toutes les allures, mais surtout au plus près, le changement d'amures est une manœuvre qui demande une bonne coordination de mouvements et un réglage précis des voiles pour conserver *l'erre* du bateau et garder le contrôle de sa direction. On peut virer *de bord vent devant* (en faisant tourner l'avant du bateau face au vent) et *virer lof pour lof,* ou *empanner,* en faisant passer le lit du vent d'une amure à l'autre par l'arrière.

Dans les deux cas, une hésitation ou un faux-mouvement peut faire rater la manœuvre et créer de la confusion; mais comme *l'empannage* peut facilement devenir «accidentel», c'est-à-dire se déclencher ou se précipiter sans laisser de temps d'en contrôler toutes les phases, il vaudra mieux n'y recourir qu'après beaucoup d'entraînement par brise légère ou moyenne.

Le virement de bord vent devant, par contre, est une manœuvre beaucoup plus facile, plus graduelle, plus sûre, qu'on peut exécuter pour changer d'amures à toutes les allures sans risquer la pagaille si on fait une petite erreur.

D'ailleurs vous pourrez passer des journées entières à faire de la belle voile dans toutes les directions sans jamais être obligé d'empanner, donc en ne changeant d'amures que *vent devant* et vous pourrez réserver prudemment l'empannage pour les occasions où le vent et les circonstances seront les plus favorables.

VIREMENT DE BORD VENT DEVANT

Cette manœuvre consiste à changer d'amures *au plus près,* donc à faire pivoter le bateau d'une amure à l'autre en faisant face au vent pendant le mouvement de giration.

Mais nous avons vu que, *vent debout* (face au vent), un voilier n'avance pas, puisque ses voiles *battent* au vent comme un pavillon et ne tirent pas. Si on gouverne vent debout pendant un moment, le bateau ralentit et ne tarde pas à arrêter, puis *à culer* (reculer; voir chapitre X, au plus près).

Puisqu'il faut bien passer par le lit du vent en virant de bord, il importe cependant que cet instant où la propulsion est arrêtée soit réduit au minimum et que toute la manœuvre soit exécutée en conservant *l'erre* du bateau d'un bord à l'autre.

Voici comment procéder: Commencez par *courir* (faire route) *au plus près serré,* avec le plus de vitesse possible. Si vous étiez au vent arrière, lofez graduellement et embraquez les écoutes jusqu'à l'allure du plus près, que vous maintiendrez un instant avant de commencer le changement d'amures.

Excepté sur les grands voiliers, où le *skipper* (patron, capitaine) ne fait que donner des ordres, le barreur (l'homme à la barre) est généralement aussi le *skipper,* manœuvrant aussi bien la barre que la *grande écoute* (l'écoute de la grand-voile). Les écoutes du foc, la dérive et autres responsabilités sont confiées à un ou deux équipiers dits *focquiers.*

Vos manœuvres doivent être parfaitement coordonnées avec celles de vos équipiers et ceux-ci doivent non seulement savoir ce qu'ils ont à faire, mais être prévenus de vos intentions pour pouvoir être *parés* (prêts) à l'exécution.

D'où les commandements précis et brefs qui vont suivre, qu'il ne faut pas craindre de crier si le bruit du vent, des vagues ou des voiles est fort. Avertissez vos équipiers qu'il ne s'agit nullement d'une manifestation d'autoritarisme ou d'humeur, mais d'une *nécessité* pour l'exécution rapide des manoeuvres, faute de quoi la pagaille qui peut s'ensuivre justifierait (peut-être!) de la véritable mauvaise humeur.

Au commandement: *«Parez à virer!»,* vous vérifiez que vous courez bien au plus près à bonne vitesse et que le secteur où vous allez virer est libre de tout obstacle.

L'écoute sous le vent est maintenue en place jusqu'au mo- soit tenue directement à la main, soit tournée une ou deux fois sur *le winch,* soit retenue par *un tour mort* (libre, sans clef ni nœud!) sur le taquet, soit encore prête à être vivement dégagée d'un *taquet-coinceur.*

Si vous avez deux focquiers, le moins fort des deux sera préposé à filer l'écoute *sous le vent* et l'autre se préparera à border la nouvelle écoute à la fin de la manœuvre, avec l'aide du premier pour tourner la manivelle du winch et border l'écoute plus rapidement. Lorsque tout est prêt (cela demande de 2 à 3 secondes à des équipiers bien stylés!), l'équipage doit répondre: «*Paré!*»

Vous commandez alors: «Envoyez!» C'est l'équivalent du terme militaire: «Exécution!» Vous poussez la barre sous le vent pour lofer graduellement *en grand,* c'est-à-dire pour venir debout au vent *(fig. 1).*

Notez que cette poussée *graduelle* de la barre peut être d'autant plus rapide que la brise est plus fraîche, mais elle ne doit jamais être brusque pour ne pas freiner l'erre.

L'écoute sous le vent est maintenue en place jusqu'au moment où l'étrave est debout au vent, et même un peu après ce point, pour aider l'avant à pivoter. (Voir la manœuvre de l'appareillage avec *le foc,* au chapitre IX.) *A ce moment précis,* libérez entièrement l'écoute maintenue dù foc et bordez rapidement celle qui va devenir *sous le vent.*

Si votre voilier est lesté, ou assez lourd, vous pouvez ramener la barre au centre un instant, *vent debout,* pour profiter de l'erre du bateau avant que les voiles qui battent ne le ralentissent trop. Selon le poids et la vitesse de votre bateau, vous pouvez ainsi gagner de 1 à 2 longueurs de coque directement dans le vent, retardant un instant le bordage du foc sur la nouvelle amure.

Continuant alors à faire pivoter le bateau en poussant doucement la barre (à bâbord pour virer à tribord, et vice versa), la grand-voile et le gui changent d'amures (attention aux têtes!), et il ne vous reste qu'à régler la barre pour reprendre le cap au plus près sur la nouvelle amure (à 45°). Sur un dériveur léger, c'est au moment où la grand-voile traverse l'axe du bateau que l'équipage devra se déplacer

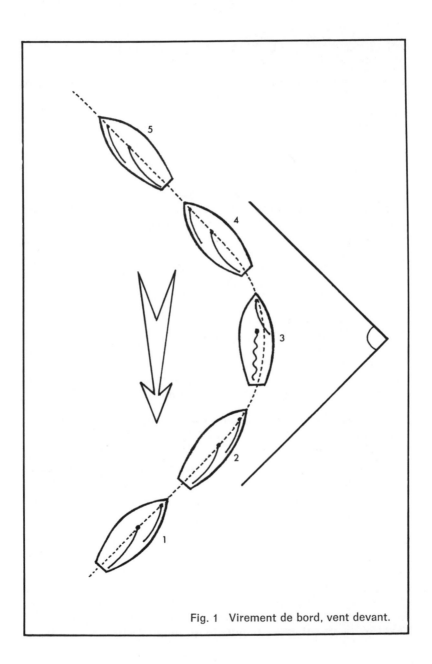

Fig. 1   Virement de bord, vent devant.

d'un bord à l'autre pour réduire la gîte au minimum sur la nouvelle bordée.

Si vous avez trop viré (de plus de 90°), le vent va frapper votre voile plus par le travers (au lieu de 45° de l'avant) et vous gîterez inutilement sans avancer plus vite. Lofez alors rapidement, et *choquez* la grande écoute durant un instant pour la reborder aussitôt que la gîte et l'allure seront redevenues normales.

Mais durant ce temps, vous aurez passablement dérivé et perdu de l'erre, ce qu'il faut s'efforcer d'éviter. Si d'autre part, vous ne pivotez que partiellement et attaquez votre nouvelle bordée *en chicanant* (foc et grand voile étant déjà bordés correctement, vous dériverez et perdrez également votre erre).

La correction est plus aisée dans ce cas, puisqu'il n'y a qu'à *arriver* en mettant la barre *au vent* pendant un instant pour reprendre le cap du plus près. (Ceci à condition d'avoir encore assez de vitesse pour gouverner!)

Si votre voilier est muni de *bastaques* (voir Gréement, chap. V), la bastaque sous le vent qui va être au vent sur la nouvelle bordée sera raidie au moment où la grand-voile commence à changer d'amures en traversant le bateau, tandis que la bastaque raidie sur la bordée initiale sera libérée *avant* que la voile ne se remplisse en finissant de traverser le bateau.

Il va sans dire que tout ce qui a été dit au sujet du foc s'applique au génois, petit ou grand, avec cette différence que le changement des écoutes sera plus long, puisqu'un génois déborde assez loin en arrière des haubans.

Veillez à ce que la toile et les écoutes n'accrochent rien en passant debout au vent, car si un génois n'est pas bordé *avant* la nouvelle bordée, il deviendra tellement dur à serrer qu'il faudra souvent lofer de nouveau pour le faire faseyer et réduire la pression du vent.

Il y a cependant un genre de foc qui prendra soin de lui-même en virant de bord vent devant, c'est le *foc bômé*, dont l'unique écoute passe généralement par un *palan* glissant d'un bord à l'autre sur une barre d'écoute ou un chemin de fer situé en avant du mât. (La barre d'écoute est une tige de fer fixée transversalement au pont, sur laquelle glisse une poulie du palan d'écoute d'une voile.)

Si la grande écoute est bien réglée pour l'allure du plus près, il ne sera pas nécessaire de la toucher en virant de bord vent devant. Elle pourra donc être amarrée à un taquet ou à un taquet-coinceur de manière à pouvoir être rapidement dégagée en cas d'urgence, et la voile se trouvera automatiquement bordée pour les deux amures du plus près, sans avoir à la filer ou la border autrement que pour des petits ajustements.

ERREURS À ÉVITER

1. Filer l'écoute du foc trop tôt, perdant sa force propulsive avant d'être vent debout.

2. Border cette écoute trop tôt sur la nouvelle amure, avant d'avoir passé le lit du vent. Il est alors bordé *à contre,* freine le bateau et peut même faire *manquer à virer.*

3. Donner des coups de barre trop brusques en virant.

4. Border les écoutes avec des *demi-clefs* (demi-tours croisés) sur les taquets, empêchant ou retardant leur réglage immédiat. En cas de brusque gîte après avoir viré, ce seul détail peut faire verser un voilier non lesté.

5. Hésiter en passant par le lit du vent et oublier que l'action de la barre est inversée lorsque le bateau cule.

6. S'affoler et filer brusquement les écoutes, perdant toute erre et laissant le bateau à la merci des éléments.

7. Sur un petit voilier: oublier de déplacer le «ballast humain» pendant le changement d'amures, risquant ainsi une gîte excessive au moment où les voiles se remplissent sur le nouveau bord.

8. Oublier de filer la bastaque à temps, laissant le gui la frapper ou s'appuyer contre elle à la fin du virement de bord.

VIREMENT DE BORD VENT ARRIÈRE, OU EMPANNAGE

Aussi appelé *virement de bord lof pour lof,* l'empannage bien exécuté n'est pas très compliqué, mais peut facilement déclencher une réaction en chaîne d'incidents, si on perd le contrôle de la manœuvre.

Il s'agit donc de changer d'amures en passant le lit du vent par l'arrière. Mais comme le vent souffle de l'arrière, il exerce une forte pression sur la grand-voile et il n'y aura pas de «temps mort» pendant lequel vous pourriez lofer, ralentir ou redresser le bateau . . . ou même hésiter avant de régler l'écoute.

La voile doit passer d'un bord à l'autre sans faire modifier la route d'une manière appréciable. Vous devez donc présenter *sa chute en douceur* au vent arrière, tout en gardant continuellement le contrôle de l'écoute.

Or si vous laissez le vent pousser brutalement la voile d'un bord à l'autre (p. ex. en navigation *à contre,* comme nous l'avons vu au chapitre X, vent arrière), l'écoute filée au maximum va revenir s'emmêler ou s'accrocher quelque part, le gui va se relever et risquera d'accrocher le pataras ou la bastaque, et la chute de la voile formera un entonnoir, une sorte de poche qui donnera au gui une poussée presque irrésistible.

C'est *l'empannage accidentel,* toujours dangereux, et qu'il faut éviter à tout prix, même par *petit temps* (par brise légère). Par contre, *l'empannage volontaire,* bien exécuté dans toutes ses phases, est une manœuvre classique qui devient une affaire de routine au fur et à mesure qu'on acquiert de l'expérience. Par brise fraîche et fort roulis, cependant, elle peut inspirer certaines appréhensions et comporter certains risques.

Si donc vous n'êtes pas sûr de vos équipiers (ou de vous-même!), mieux vaut vous en abstenir, puisque vous pouvez toujours remonter du vent arrière en lofant jusqu'au plus près et de là virer de bord *vent devant* en toute sécurité.

LA MANOEUVRE DE L'EMPANNAGE

Commencez par vous assurer que vous êtes bien au vent arrière. Si le vent montre des velléités de venir du côté où est votre grand-voile, changez votre cap en lofant légèrement pour courir plus près du grand largue que du plein arrière. Une fois de plus, un penon fixé au pataras donne de précieuses indications à ce sujet, en plus de la girouette de mât.

Au commandement: «Parez à empanner!» personne ne bouge, sauf peut-être pour s'assurer que les écoutes sont bien libres (et la dérive baissée s'il n'y a pas d'autres lest!). L'équipage répond alors: «Paré!» Vous donnez ensuite un dernier coup d'œil à la direction du vent et à la grand-voile, puis vous commandez: «Envoyez!».

Vous tenez fermement votre barre pour gouverner aussi droit que possible (ce n'est pas toujours facile quand le roulis et le tangage s'en mêlent!) et vous commencez à embraquer la grande écoute. Pour être sûr de ne pas être surpris *à contre,* vous pouvez modifier votre cap de quelques degrés du côté *au vent* (futur côté *sous le vent*).

Continuez à embraquer la grande écoute jusqu'à ce que le gui approche du centre du bateau. A ce moment, raidissez la bastaque encore *sous le vent* (qui va devenir *au vent*) et libérez l'autre, qui était raidie sur la bordée initiale *(fig. 2).*

Poussez alors *doucement* la barre pour faire franchir le lit du vent à votre arrière. La voile se remplit d'un coup sur le bord opposé. A cet instant, tenez bien l'écoute, ou au besoin donnez-lui un *tour mort* (un tour simple) sur un taquet, pour absorber le petit coup que donne la voile en se remplissant sur sa nouvelle amure et l'empêcher de repartir en trombe.

Filez alors l'écoute peu à peu pour laisser la voile s'écarter jusqu'au hauban et reprendre l'allure du vent arrière sur la nouvelle amure. Durant toute cette manoeuvre, il faudra garder un contrôle précis de la barre, d'abord pour éviter de naviguer à contre avant l'empannage, ensuite pendant l'em-

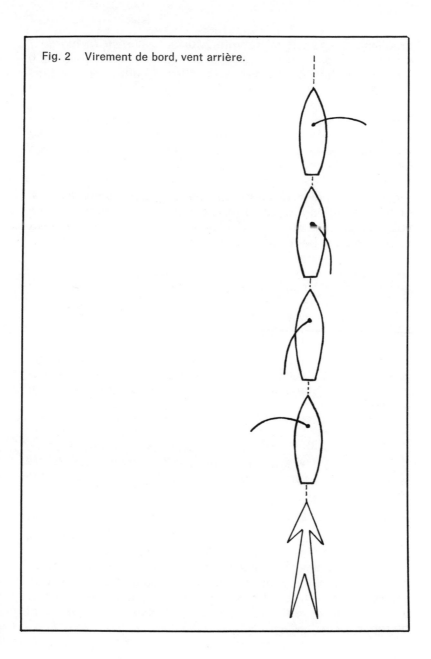

Fig. 2   Virement de bord, vent arrière.

braquage progressif de la voile, *surtout pendant le moment critique où vous présentez la chute de la voile d'un bord à l'autre* et enfin pendant que vous filez l'écoute sans la laisser s'échapper.

Si vous êtes seul à bord (ce qui est fréquent sur les petits voiliers), il sera bon d'apprendre à barrer fermement avec vos genoux ou votre dos (au sens large!), gardant les mains libres pour le réglage de la grande écoute.

Sinon un équipier ne sera pas de trop pour vous aider à embraquer, bloquer puis filer l'écoute, vous permettant de vous concentrer sur votre route et sur les sautes de vent imprévues qui peuvent la modifier.

Quant au foc, si important dans le virement de bord vent devant, il n'en a pas été question pour la bonne raison qu'au vent arrière, il est généralement masqué par la grand-voile et ne fait pas grand-chose sinon se secouer comme de la lessive séchant au vent!

C'est donc un jeu d'enfant que de le changer d'amure quand la voile en fait autant, puisqu'il ne se remettra à tirer réellement que lorsque l'on reviendra au largue ou au vent de travers.

Si toutefois il était en ciseau avant l'empannage, le focquier devra enlever le tangon de foc avant la manœuvre et ne devra répondre «Paré!» que lorsque le tangon sera rentré dans le cockpit (ou arrimé sur le pont ou le mât) et lorsque les écoutes seront bien libres.

Attention aussi à cette manie qu'a un foc dévénté au vent arrière à s'enrouler sur sa draille! Il faut souvent aller le libérer à la main, et non en tirant sur les écoutes, car la toile peut s'accrocher aux mousquetons d'envergure et se déchirer. C'est *avant* l'empannage qu'il faut s'assurer d'avoir son foc prêt à être bordé à n'importe quelle nouvelle allure. C'est un autre point à vérifier pour l'équipier avant de répondre: «Paré!»

ERREURS À ÉVITER

1. Commencer un empannage en naviguant *à contre.*

2. Embraquer trop brusquement la grande écoute avant de passer le lit du vent; à plus forte raison, empoigner le gui pour le tirer et le jeter sur l'autre bord!

3. Laisser trop de jeu à la grande écoute au moment où la grand-voile traverse le lit du vent.

4. Hésiter trop longtemps avant de donner le petit coup de barre qui fait changer d'amure. Une rafale de côté pourrait vous surprendre *à contre* avant d'être prêt, faire perdre votre cap et faire gîter dangereusement.

5. Tarder à filer l'écoute après le changement d'amure. Ici encore, on peut perdre le cap et trop gîter.

6. Si le bateau n'a pas de pataras, avoir les deux bastaques larguées en même temps au moment de l'empannage. Par forte brise, vous pourriez y perdre votre gréement.

7. Empanner de nouveau, immédiatement après l'avoir fait, sans s'assurer qu'on ne navigue pas à contre et que les écoutes sont libres.

8. Précipiter la manœuvre en perdant le contrôle de la route ou des voiles.

CONSEILS RELATIFS AU VIREMENT DE BORD

Ne virez ou n'empannez jamais trop près d'un autre bateau ou d'un obstacle.

Prévoyez toujours qu'au plus près vous pouvez *manquer à virer,* dériver ou *culer,* tandis qu'un empannage raté ou accidentel peut vous déporter très loin de votre route, sans freinage immédiat possible!

Entraînez-vous systématiquement à des virements de bord par différentes forces de vent, pour connaître la durée moyenne de vos manœuvres et essayer de l'abréger sans sacrifier la direction ou l'erre du bateau, ni diminuer le contrôle de la barre.

Chapitre XII

ANCRES ET MOUILLAGES

«Mouiller» en langage maritime, c'est immerger, tremper un objet dans l'eau, qu'il aille au fond ou non. On mouille donc une sonde, une ligne à poissons, aussi bien qu'une ancre.

Cependant, le mot *mouillage* peut avoir plusieurs sens. C'est d'abord la *manœuvre* de mouiller l'ancre, et, par extension, *le fait d'être immobilisé par une ancre ou un corps-mort.*

C'est aussi *l'endroit où l'on mouille de préférence,* ou simplement *un endroit favorable pour mouiller.* Enfin, c'est également l'ensemble formé par une ancre et sa chaîne, ou son *câblot.*

Pas étonnant, n'est-ce pas, que depuis toujours l'ancre ait été et soit le symbole d'une escale au cours d'une croisière, de la sécurité opposée au risque, du calme après la tempête ou simplement d'un heureux retour au port en attendant de nouveaux départs . . .

Il semblerait qu'une si importante fonction devrait faire de l'ancre un objet à choisir avec soin, à toujours avoir à la main, et à manier avec précision et jugement, puisque c'est, dans bien des cas, d'elle seule que dépend la sécurité du bateau et de son équipage.

Malheureusement que voit-on trop souvent? Une ancre soit trop petite, soit trop grande . . . ou trop lourde. Dans le premier cas, on n'arrive pas à la faire *mordre* (tenir, accrocher); dans le deuxième cas, on hésite à s'en servir, faute d'avoir un Hercule à bord, et l'on devient esclave des appontements . . .

Ou encore l'ancre, pour des raisons de commodité, est enfermée dans un compartiment à matériel, où elle voisine (et s'emmêle!) avec toutes sortes de *bouts* (cordes) et d'objets hétéroclites, empêchant ou retardant un mouillage rapide. Dans un cas d'urgence, le bateau a tout le temps voulu de faire le fou ou de se laisser entraîner par le vent ou un courant vers des fonds *malsains* (dangereux).

Et que dire de ces manilles et chaînes d'ancre rongées par la corrosion qui résistent à des tractions fortes et continues, mais qui semblent guetter la moindre secousse d'un mouillage agité pour céder?

Enfin et surtout, que d'ancres perdues et de bateaux endommagés par des câblots affaiblis ou usés qui, eux aussi, s'arrangent toujours à casser quand il faudrait plus que jamais qu'ils tiennent!

Tous ces exemples déplorables pour souligner le fait que la fonction première de l'ancre est *d'immobiliser* le bateau par rapport au fond, sans chasser (déraper) et que *le mouillage est le plus souvent une manœuvre qui ne peut ni attendre, ni être ratée.*

LES MODÈLES D'ANCRES

Pendant plusieurs siècles, et jusqu'à assez récemment, les ancres se ressemblèrent beaucoup, s'apparentant à l'ancre classique dite «à jas» *(fig. 1),* qui est encore aujourd'hui celle que l'on reproduit sur les vêtements, les pavillons, les décorations, etc.

Elle était assez facile à forger et, pourvu qu'elle fût d'un poids proportionnel à la taille de la coque, elle sauva plus d'un bateau d'un désastre ou d'un ouragan.

La base d'échantillonnage était (et est encore) la suivante: *1 livre par pied de longueur, soit 1½ kilo par mètre de longueur de coque.* Ceci pour l'ancre dite «de service».

Pour l'ancre d'urgence, celle des «coups durs»: *deux fois ce poids.*

Pour l'ancre légère des mouillages faciles: *la moitié ou les ¾ de ce poids.*

Malheureusement *l'ancre à jas* a de nombreux défauts: elle est encombrante, elle peut *surpatter* ou *surjaler,* c'est-à-dire que sa chaîne ou son câblot peut s'enrouler sur une patte

Fig. 1   L'ancre à jas.

ou sur le jas et sa tenue est très moyenne relativement à son poids.

Si on dispose d'équipiers assez forts pour manier l'ancre la plus lourde, celle du «gros temps», sur un pont mouillé qui roule et qui tangue, tant mieux, car l'ancre à jas tiendra bien et crochera sur tous les fonds.

Mais les yachtmen n'étant pas tous des athlètes (ceci vaut aussi pour les équipières!) et la tendance générale étant orientée vers la diminution de l'encombrement et du poids en tout, les ingénieurs ont mis au point des ancres plus légères et plus commodes à ranger: *les ancres à bascule.*

Cependant ces ancres crochent mal dans les herbes et elles peuvent être coincées par des pierres, ce qui les rend inefficaces en cas de renverse du vent ou du courant. De plus, ces ancres n'ont pas toutes un «angle d'accrochage» convenable, ni des pattes qui basculent immédiatement pour crocher. Les meilleures sont la Northill et surtout la Danforth *(fig. 2).*

Un modèle d'ancre qui croche très bien dans tous les fonds est *l'ancre à soc de charrue,* qui ne peut surpatter ni surjaler, ni se coincer. Mais sa forme très pointue la rend dangereuse pour une coque sans élancements et difficile à ranger sur un petit bateau *(fig. 3).* Ici aussi, une légère différence d'angle des pattes par rapport à la *verge* fera la différence entre une bonne et une mauvaise ancre.

Fig. 2   L'ancre Northill.   Fig. 2A   L'ancre Danforth.

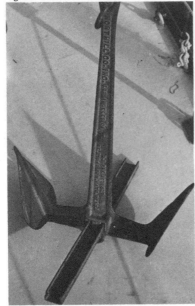
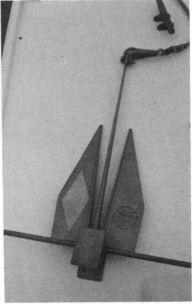

Fig. 3   L'ancre à soc de charrue.

SUGGESTIONS POUR VOS ANCRES

«Tous les goûts sont dans la nature» et les préférences individuelles pour un certain modèle d'ancre en sont la preuve.

Mais s'il y a un domaine où l'utilitaire doit passer avant
l'esthétique, c'est bien celui des ancres! Ce qui ne veut pas
dire qu'il faille embarquer un stock d'ancres encombrantes
par seul souci de prévoyance ...

A moins d'avoir un truc magique pour les ranger, comme l'élève-officier à qui un examinateur demandait:

— «La tempête se lève, que faites-vous?
— «J'amène les voiles et je jette l'ancre!
— «La tempête augmente, que faites-vous?
— «Je jette une deuxième ancre!
— «La tempête devient ouragan et votre bateau chasse, que faites-vous?
— «Je jette une autre ancre plus grosse!
— «L'ouragan devient cyclone, et votre bateau chasse encore, que faites-vous?
— «Je jette une autre ancre encore plus grosse!
— «Votre chaîne casse et le cyclone fait toujours rage, que faites-vous?
— «Je jette deux grosses ancres à la fois!
— «Mais, enfin, où prenez-vous toutes ces ancres?
— «Au même endroit où vous prenez votre vent!»

Mais trêve de blagues, et voyons quelques normes utiles. Prenons comme unité de base un yacht à moteur auxiliaire de 35 pieds [environ 10,5 m] et vous ferez vos calculs proportionnels pour votre bateau.

Tout yacht doit avoir deux ancres, trois s'il fait beaucoup de croisières.

1. *L'ancre d'urgence* (pour gros temps) qui peut être une *ancre à jas,* de 40 à 60 lb [18 à 27 kgs], de dimensions normales, ni trop longue, ni trop courte, ni trop massive. On peut la ranger sous le pont, mais elle doit être accessible. Le modèle le plus pratique est démontable, permettant de ranger séparément les bras, la verge et le jas, qu'on remontera à l'approche d'une tempête.

2. *L'ancre ordinaire,* appelée autrefois *ancre de bossoir.* (Le *bossoir* était une sorte de potence fixée à l'extérieur de la proue, permettant de relever l'ancre et de la saisir par des bosses, filins ayant une extrémité fixe).

C'est la *maîtresse ancre* qu'on utilisera la plupart du temps en croisière.

Ce sera soit une ancre à jas de 35 lb [15 kgs], soit une ancre à bascule (type Danforth) de 25 à 30 lb [11 à 13 kgs] qui sera *frappée* (fixée) en permanence à son câblot et rangée sur le pont (ou sous le boute-hors) de façon à pouvoir être immédiatement utilisée.

3. *La petite ancre,* ou *ancre à jet,* du type à bascule, d'environ 15 lb [6 à 7 kgs].

C'est l'ancre «passe-partout» qu'on emploiera par beau temps pour la pêche, la natation, les explorations et tous les mouillages temporaires où l'on est sûr de pouvoir revenir à bord pour jeter une ancre plus grosse si le temps se gâte.

C'est aussi l'ancre qui servira *à mouiller en fourche* (sur deux ancres disposées en V) ou *en barbe* (deux ancres l'une derrière l'autre quand on n'a pu *affourcher*).

Cette petite ancre sera aussi très utile comme ancre de poupe, pour stabiliser l'arrière dans les amarrages à des appontements encombrés ou ailleurs, ou pour mouiller *en ligne* (une ancre devant, une derrière) dans les rivières à marées.

Ajoutons enfin que les poids suggérés plus haut correspondent aux besoins courants, mais ils restent approximatifs et pourront être modifiés selon les besoins.

Il est bien évident, par exemple, que si le *fardage* est excessif (cabine, gréement, etc.), le vent aura plus de prise que si les lignes sont aérodynamiques et offrent au vent une résistance minimum. Dans ce cas, il faudra utiliser des ancres plus lourdes.

Inversement, si l'on mouille toujours dans des endroits très abrités, l'ancre ordinaire pourra être un peu plus légère, surtout si elle est du type Danforth qui mord bien. Par contre, l'ancre de gros temps devra rester ... lourde! Vous ne l'emploierez peut-être jamais durant des saisons entières, mais quand vous devrez l'employer, vous serez bien content de la voir crocher du premier coup et vous immobiliser, alors que d'autres yachtmen moins prévoyants chasseront et se feront du mauvais sang!

Peut-être auront-ils été victimes de l'un de ces vendeurs persuasifs qui vous présente toujours son «dernier modèle» comme le meilleur et qui vous «garantira» que l'ancre de 10 livres qu'il veut vous refiler (pour sa commission et non pour votre sécurité!) mord et tient aussi bien qu'une ancre à jas de 70 livres!

CÂBLOTS ET CHAÎNES

Les câblots et *les chaînes* font la liaison entre le bateau et le fond, et leur longueur *peut,* comme nous allons le voir, suppléer dans une certaine mesure au poids insuffisant d'une ancre. Mais gardez cette propriété comme *mesure de sécurité supplémentaire* et ne l'incluez pas dans vos calculs de poids-bateau! *(fig. 4).*

Les câblots peuvent être en textile naturel ou artificiel. En textile naturel, le coton est peu recommandé à cause de son manque de solidité. Le *chanvre* ou le *manille* sont de

Fig. 4 Pour un mouillage solide, la touée devra être proportionnelle à la profondeur de l'eau.

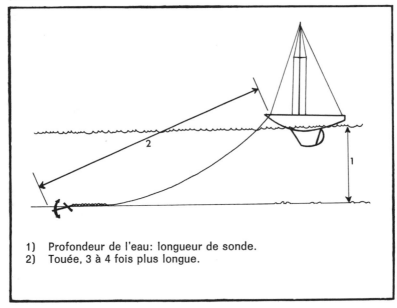

1) Profondeur de l'eau: longueur de sonde.
2) Touée, 3 à 4 fois plus longue.

résistance à peu près équivalente, mais le chanvre pourrit plus rapidement, est plus lourd et plus raide tout en coûtant plus cher.

La fibre de manille reste donc la meilleure parmi les textiles naturels, mais elle est de plus en plus concurrencée et remplacée par les fibres synthétiques.

Bien entretenue, cependant, c'est-à-dire séchée après usage et rangée dans un endroit bien ventilé, elle peut durer plusieurs saisons.

Plus léger qu'une chaîne, un câblot de manille est plus facile à hâler à la main et son élasticité équivaut à «l'effet de ressort» d'une chaîne plus grosse.

Pour faire un choix entre la meilleure qualité de manille et la meilleure fibre synthétique (nylon), ne tenez pas seulement compte des tableaux d'équivalence donnés par les fabricants, qui mesurent le point de rupture en fonction d'une *traction statique,* facile à vérifier.

Il faut aussi tenir compte des *efforts dynamiques* (tractions brutales, inégales et saccadées) produits par un bateau.

Tous facteurs étant comptés, il reste qu'à diamètre égal, le nylon est 2,5 fois plus résistant que le manille, et qu'à résistance égale il est 2,5 fois plus léger. Vous pourrez donc, pour une résistance donnée, choisir un diamètre de nylon égal aux ⅔ de celui du manille, ce qui pourra passablement modifier le volume des *glènes* (rouleaux de cordage) et le diamètre des *chaumards,* des *cosses* et des *manilles.*

Le nylon a en outre l'avantage de pouvoir être laissé humide sans subir de détérioration sérieuse. Cependant, il faut éviter de le laisser sur le pont au soleil et il s'use facilement au frottement. Il sera donc recommandé de *fourrer* (protéger en l'entourant) un câblot de nylon à ses principaux points de *raguage* (usure par friction).

Enfin le nylon est cher: trois à quatre fois plus cher que le manille. Mais il suffit qu'il serve deux à trois fois plus de temps pour devenir plus économique.

Les chaînes sont toujours en accès acier galvanisé et leur point de rupture correspond assez exactement au tableau des fabricants.

Notons immédiatement que pour une longueur donnée et à résistance égale, le poids d'une chaîne est quinze fois plus élevé que celui du nylon. Et un câblot de nylon devra être au moins deux fois plus long que la longueur de chaîne nécessaire. Par conséquent, le poids de la chaîne d'ancre devra être 7,5 fois celui du câblot de nylon.

La chaîne a cependant quelques avantages:

1. Elle ne s'emmêle pas et prend moins de place.

2. Elle permet des rayons de giration plus courts autour de l'ancre, ce qui est indispensable dans des mouillages encombrés.

3. Elle ne s'use pas par raguage sur les fonds et les pierres coupantes.

4. Elle repose en général en partie sur le fond, permet à l'ancre de tirer parallèlement au sol et de bien crocher. Si le vent forcit, la courbe que fait la chaîne entre le bateau et le fond se tend davantage, la partie traînante se soulève du fond, ce qui augmente le poids de la chaîne libre et tend à rappeler le bateau en compensant l'action du vent. D'où possibilité d'utiliser une ancre un peu plus légère. Néanmoins le seul facteur poids suffit à expliquer pourquoi les voiliers de course embarquent le moins de chaîne possible, tandis que sur les gros bateaux, elle est pratique, surtout si on dispose d'un guindeau (treuil horizontal).

Pour les bateaux de longueur moyenne, on pourra utiliser avantageusement une combinaison chaîne-câblot, pour profiter des avantages respectifs de l'un et de l'autre sans en subir tous les inconvénients.

Avec une ancre plutôt légère, une certaine longueur de chaîne entre l'ancre et le câblot permettra à l'ancre de bien crocher, de faire ressort par son poids et d'éviter le ragage contre les fonds. La partie câblot sera élastique et facile à manier, et le petit supplément de chaîne ne représentera pas un poids important *(fig. 5)*.

L'AMARRAGE DE L'ANCRE AU BATEAU

Les petits voiliers ont à l'avant un *taquet* d'amarrage, les plus gros une *bitte* (borne traversée d'une tringle). Trop souvent le taquet n'est que vissé sur le pont et ne résiste pas aux efforts violents ou brusques que donne une remorque, un câblot ou une chaîne d'ancre.

Si tel est le cas sur votre bateau, assurez-vous d'abord que le taquet est d'un échantillonnage très fort, et surtout faites en sorte qu'il soit boulonné sur une pièce maîtresse de la charpente du pont, avec une grande contre-plaque pour appuyer l'écrou *(fig. 6)*.

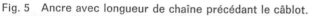

Si vous pensez devoir souvent mouiller dans des endroits exposés, une *bitte* augmentera beaucoup votre sécurité, car elle traverse habituellement le pont à un endroit où celui-ci est renforcé et s'appuie sur la quille ou sur une autre pièce solide de la charpente.

Fig. 5   Ancre avec longueur de chaîne précédant le câblot.

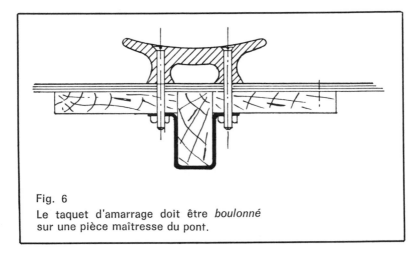

Fig. 6
Le taquet d'amarrage doit être *boulonné*
sur une pièce maîtresse du pont.

Ces principes valent pour les coques de bois comme pour les coques de fibre de verre. Celles-ci ont d'ailleurs des renforcements métalliques qui donnent d'excellents points d'appui aux taquets.

L'amarrage d'un câblot à un taquet ne présente guère de difficultés. Il suffit de quelques tours morts et *demi-clefs,* et le tour est joué. Pour tourner un câblot ou une chaîne à une bitte, il faut faire un amarrage qui soit à la fois solide et facile à désamarrer par grand vent ou fort clapot, même si le bateau tire fort.

Pour un câblot, *le nœud de cabestan* (aussi appelé *nœud de bitte)* est le meilleur. Il consiste en *deux demi-clefs,* dans le même sens ou inversées. Cependant si le câblot en nylon est gros, ce nœud risque de glisser. On le complétera alors de deux *demi-clefs* sur le *dormant* (la partie immobilisée allant de la bitte à l'ancre). (Voir chapitre XV)

Avec une chaîne, pas de nœud de cabestan, car les maillons se coinceraient les uns dans les autres et le désamarrage serait loin d'être rapide et facile! On fait avec la chaîne venant du bateau deux ou trois tours morts sur la bitte et une ganse passant sous le brin de la chaîne et revenant se tourner sur la bitte.

MOUILLAGE SUR ANCRE

Nous avons vu au chapitre IX (Appareillons!) qu'en *lofant* on ralentit puis arrête le bateau. C'est la manœuvre qu'on fait pour revenir à sa bouée de corps mort ou à un appontement, prenant soin de lofer graduellement d'arriver très lentement au point désiré, après avoir bien calculé la distance sur laquelle le bateau perd son erre.

Pour être sûr de ne pas s'immobiliser trop tôt, au risque de culer ou, au contraire, de garder trop d'erre et de frapper l'étrave contre un appontement, on pourra s'approcher du but un peu de biais, bordant et filant alternativement l'écoute pour garder ou perdre de l'erre. Si l'arrêt n'est pas complet à l'instant désiré, on peut ainsi plus facilement repousser de côté la bouée ou l'appontement et arrêter le bateau sans heurt. Il ne reste plus qu'à amener les voiles en prenant soin de ramasser la toile avant qu'elle ne tombe à l'eau, puisqu'elle ne descend pas aussi près du centre du bateau qu'après avoir lofé vent debout.

Pour mouiller une ancre, cette même manoeuvre d'approche au ralenti aura l'avantage de vous laisser le choix d'arrêter ou de continuer un peu plus loin si vous le jugez bon. Cependant, pour mouiller au large ou dans une anse offrant beaucoup d'eau de tous côtés, vous n'en êtes pas à quelques longueurs de bateau près et vous pourrez exécuter la manoeuvre classique de lofer droit au vent.

En voici les principales phases:

Avant toute chose, préparez la chaîne en l'allongeant sur le pont et en tournant l'extrémité de sa *touée* (longueur à filer) sur la bitte, puis vérifiez que l'autre extrémité soit bien *étalinguée* (fixée) à l'ancre. Ceci s'appelle *prendre la biture,* la biture étant la quantité de chaîne ou de câblot nécessaire pour mouiller (au figuré, la biture est aussi la quantité de vin à boire pour *se* mouiller!) Si vous avez un câblot, vérifiez qu'il ne soit pas emmêlé, ni sur le pont, ni dessous, et tournez l'extrémité de sa touée au taquet ou à la bitte.

1er cas: *Vent sans courant*

1. Présentez-vous au plus près bon plein, sous le vent de l'endroit prévu pour le mouillage, à 3 longueurs de bateau dans le cas d'un dériveur, 5 à 7 longueurs pour un voilier lesté.

2. Au moment où vous arrivez juste sous le vent de l'endroit voulu, lofez en grand, pour venir vent debout et choquer les voiles.

   Pendant cette *aulofée*, mettez votre ancre *en pendant* (suspendue hors de l'avant du bateau, car on ne jette pas une ancre) et amenez le foc.

3. Attendez que le bateau commence à culer et mouillez.

4. Si vous êtes sûr de ne pas *chasser*, amenez la grand-voile; sinon attendez de sentir la tension s'établir sur la chaîne ou le câblot avant d'amener la voile.

   Si l'ancre ne crochait pas, vous serez mieux paré à recommencer la manoeuvre avec la grand-voile *établie* qu'à la dérive *à sec de toile* (sans voilure).

5. Tandis que vous ferlez vos voiles et mettez de l'ordre sur le pont, *prenez des alignements par le travers.* S'ils ouvrent, c'est que vous chassez! Sinon, détendez-vous! *(fig. 7).*

2e cas: *Vent et courant venant de la même direction.*

1. Approchez au plus près serré.

2. Lofez à partir d'une distance moindre de l'endroit prévu, puisqu'une fois vent debout le bateau va être freiné plus rapidement par le courant.

3. Même manoeuvre que dans le 1er cas.

3e cas: *Vent et courant de sens contraire.*

1. Amenez la grand-voile et approchez avec le foc bordé au plus près.

2. Juste avant d'atteindre votre point de mouillage, amenez le foc.

3. Attendez que le bateau cule, puis mouillez. Si vous étouffez votre foc plutôt que de l'amener, vous serez mieux

Fig. 7   Au mouillage, tenez compte des changements possibles de courants ou de marée.

paré à recommencer la manoeuvre en reprenant de l'erre au large puis en lofant pour rehisser la grand-voile.

4e cas: *Vent et courant venant de la même direction, mais approche forcée à une allure portante* (par exemple, lorsque le vent et le courant vous poussent au rivage).

1. Amenez la grand-voile et approchez avec le foc seulement.

2. Quand vous serez tout près de l'endroit prévu, amenez le foc.

3. Essayez d'utiliser ce qui vous reste d'erre pour gouverner vent debout.

4. Mouillez l'ancre, mais stoppez le câblot ou la chaîne pour permettre au bateau de se placer dans le courant avant de filer toute la touée. Si vous mouillez dans un port inconnu où de nombreuses bouées indiquent des mouillages, demandez la permission d'utiliser l'un de ces mouillages, sinon méfiez-vous du fond! Il sera vraisemblable-

ment parsemé de vieux corps-morts, de chaînes abandonnées et entremêlées, et vous aurez de bonnes chances d'y coincer votre ancre ...

Vos chances de la dégager seront bien meilleures si vous la munissez d'une petite bouée (ou d'un flotteur) et d'un filin frappé sur le *diamant* de l'ancre. Ce filin devra être assez fort pour pouvoir *déraper* l'ancre (l'arracher du fond) au cas où vous ne pourriez le faire par sa chaîne ou son câblot. Enfin si, par malheur, il n'y avait pas moyen de récupérer votre mouillage avec les moyens du bord, cette bouée servira au moins à le localiser en vue d'une récupération ultérieure.

Pour *repartir d'un mouillage,* vous établirez d'abord vos voiles puis, celles-ci battant vent debout, vous souquerez sur la touée et hâlerez le câblot pour donner un peu d'erre au bateau.

Lorsque l'étrave sera au-dessus de l'ancre, bloquez un instant le câblot sur le taquet ou la bitte, et laissez le bateau faire à votre place l'effort de déraper l'ancre en la basculant dans le sens contraire du crochage. Au besoin, essayez d'utiliser les rafales latérales pour gouverner en chicanant et vous permettre d'augmenter encore votre erre avant le dérapage de l'ancre.

Que l'équipier qui dérape l'ancre vous avertisse du moment où celle-ci sera libérée du fond et vous gouvernerez aussitôt au plus près, chicanant un peu pour ralentir le bateau jusqu'au moment où l'ancre sera *saisie* (amarrée) au pont.

Autant que possible, essayez de partir sur le bord correspondant à celui où travaille votre équipier, pour qu'il reste *au vent* durant le démarrage du bateau. Ainsi s'il hâle de tribord, gouvernez tribord amure tant bien que mal jusqu'au moment où l'ancre est dérapée, puis arrivez au largue ou au vent de travers pour lui permettre de tout ranger sans se faire arroser par la *moustache* (la vague d'étrave), ni gêner par le foc.

Attendez que tout le mouillage soit rangé pour virer de bord ou abattre.

Chapitre XIII

LORSQUE LA BRISE VOUS
JOUE DES TOURS

Pour le commun des mortels, le beau temps, c'est le soleil, la chaleur, avec ou sans vent, tandis que le mauvais temps, c'est la pluie, les orages, le froid.

Pour l'amateur de voile, le beau temps, c'est surtout *le vent favorable* à la navigation normale, le soleil n'étant qu'un avantage supplémentaire et la pluie n'étant pas un inconvénient en soi; le mauvais temps c'est *le vent trop fort,* violent, rendant la navigation difficile ou hasardeuse.

Cette différence d'interprétation du mot *temps* explique le sens des expressions *gros temps,* pour vent violent, et *petit temps,* pour petite brise. A propos de brise, notons ici aussi une extension du sens courant.

Pour les «terriens» comme pour les marins, la brise est un vent soit faible, soit modéré, soit même assez fort, mais de durée limitée.

Par contre, pour les marins, la brise va du faible au très fort et implique surtout la *régularité,* donc l'absence de coups de vent ou d'orages.

C'est ainsi qu'on dira: *brise molle* (brise faible), *petite brise* (avec petits moutons isolés, *jolie brise* (avec moutons nombreux et l'eau de couleur foncée; c'est le temps pour faire de la route à toutes voiles, mais avec de la gîte), *grosse brise* (vent assez fort, mais dont on sait qu'il mollira) et surtout *bonne brise* (avec moutons serrés frappant dur, et la crète des lames arrachée; c'est le vent de force 5 à l'échelle Beaufort, d'environ 20 m/h ou 35 km/h, qui demande de prendre des ris ou de diminuer la toile).

Vous voyez que la «bonne brise» n'est plus de la «brise» au sens habituel! Cependant, à partir du moment où la brise est très forte, on l'appelle *vent.*

Le gros temps, c'est donc du vent violent, qui peut être variable et souffler en rafales.

Lorsque le vent est fort mais régulier, la voile est plus sûre que lorsque le vent souffle en *grains* (coups de vent irréguliers et peu prolongés); ceux-ci annoncent généralement du mauvais temps.

Que devient la voile de plaisance par gros temps? De la fatigue, de la tension, des possibilités de «coups durs», de l'usure sur toute la ligne, des efforts nombreux pour le bateau comme pour l'équipage. Vraiment rien de plaisant . . .

Voilà pourquoi il est bon de répéter aux débutants: «Ne sortez pas *exprès* par gros temps et rentrez quand les moutons commencent à recouvrir l'eau!»

Mais il peut arriver qu'au cours d'une croisière ou d'une longue journée de voile, il faille absolument affronter du gros temps, soit pour se rendre au mouillage prévu, soit pour chercher abri.

Il faut donc savoir quoi faire (et souvent le faire vite!) pour pouvoir éprouver cette satisfaction, une fois rentré, «de s'en être bien tiré».

De plus, l'expérience vous permettra de mieux connaître les limites de votre bateau et de votre équipage. Dès lors, tout en continuant à ne pas rechercher volontairement le gros temps, vous ne craindrez plus de l'affronter et le vent fort, mais bien établi, pourra vous procurer quelques-unes des plus grandes joies de la voile.

LES SIGNES ANNONCIATEURS DU GROS TEMPS

Prenez l'habitude de consulter les bulletins météorologiques les *plus détaillés* et de surveiller attentivement le déplacement des centres dits «de basse pression» qui peuvent se diriger sur les plans d'eau où vous naviguez.

Si le baromètre descend, attendez-vous à du vent plus fort et à de la pluie. Si la température augmente en même temps, il est probable que la pluie sera forte et accompagnée de rafales.

Si le baromètre est descendu lentement pendant plusieurs jours, le temps restant tout de même beau, pluie prolongée presque certaine.

Si le baromètre reste bas par temps clair, la pluie ou un changement de temps va survenir à brève échéance.

Si le baromètre monte: beau temps, ou temps se remettant au beau. Les *nuages* sont aussi de précieux indicateurs du temps à venir.

Les nuages d'orages caractéristiques sont les *cumulo nim bus*, en forme d'enclume, dont la base est horizontale et sombre, surmontée d'une colonne de gros nuages proliférant et roulants, se rétrécissant vers le haut pour s'évaser très largement à plus haute altitude. La base sombre et la colonne centrale sont souvent illuminées d'éclairs.

L'orage se déplace souvent très vite, mais pas assez vite que vous n'ayez pas le temps de le voir venir et de modifier votre route en conséquence. Vous pouvez tout de même compter environ une demi-heure entre le moment où vous l'apercevez et le moment où il vous tombe dessus. (Ceci à condition d'avoir été sur le pont auparavant, et non enfermé dans la cabine!)

Comme ces nuages sont bas et avancent vite, prenez l'habitude de guetter tous les nuages formant une ligne sombre barrant l'horizon, surtout si vous y voyez des éclairs.

Les cirrus sont des nuages effilés, en fuseaux, qui se déplacent à très haute altitude et signifient que le temps va changer, probablement en mal, mais peut-être en mieux.

Les cumulus, très arrondis et floconneux, sont des nuages de beau temps. Ils sont très lumineux et ont souvent une base horizontale.

Les *cirro-cumulus* sont des masses blanches de cirrus groupés ou alignés. S'ils restent bien espacés, on peut escompter que le beau temps va persister; mais s'ils se groupent et envahissent le ciel, ils annoncent du mauvais temps.

Les *cirro-stratus* sont des cirrus groupés en faisceaux blancs tendant à couvrir de plus en plus le ciel. S'ils n'ont aucune forme particulière, le temps va se maintenir au beau. S'ils se groupent en grandes formations, mauvais temps en vue.

Enfin les *nimbus* sont des masses de nuages sombres et bas, sans forme définie, qui annoncent la pluie.

Tous ces nuages et leurs variantes combinées sont illustrés dans les pages couleur insérées à ce chapitre, extraites du livre «La Météo» de M. Alcide Ouellet.

RÉGLAGE DES VOILES

Par fort vent, vous devez souvent lofer et chicaner, donc faire faseyer les voiles plus que de coutume. Pour que ces moments de faseyement ne réduisent pas trop votre propulsion, vous aurez intérêt à *aplatir* le plus possible votre grand-voile, le creux (utile en brise légère ou moyenne) ne faisant qu'accentuer la tendance à faseyer.

Si vous avez une vieille voile, déformée ou aplatie par l'usage, établissez-la à l'approche des coups de vent. C'est le bon moment de lui faire prendre l'air et d'épargner votre belle voile neuve!

Si vous êtes au plus près, vous pouvez aplatir votre voile en déplaçant l'extrémité inférieure du palan d'écoute plus à l'extérieur.

Avec une barre d'écoute assez large, il est facile de pousser la poulie d'écoute à l'extrémité. Sinon bordez l'écoute à bloc!

A défaut de prendre des ris, voici deux moyens (provisoires!) d'aplatir encore plus la voile:

1. Tendez fortement les côtés et les coins de la voile en raidissant le plus possible le hâle-bas (ou la drisse) et le point d'écoute, sans toutefois faire apparaître trop de plis dans la voile.

Si votre gréement comporte à la fois un étai de tête de mât et une draille de foc, donnez un peu de mou à l'étai de tête et raidissez la draille. Ceci aura pour effet de cintrer légèrement le mât, aplatissant la zone médiane de la voile.

2. Si votre voile est équipée d'une ligne de chute (petite ligne passant dans l'ourlet de la chute), larguez-la complètement, enlevant ainsi la petite courbe en «bord de sac» qu'elle donne habituellement.

Enfin lorsque la brise fraîchit au point de vous forcer à chicaner et à lofer presque continuellement, *prenez des ris sans tarder*; il sera toujours temps de les larguer lorsque le vent mollira *(fig. 1)*.

Fig. 1   On peut réduire la gîte en déventant la grand-voile.

Comme il a été dit ailleurs, un voilier «faisant la toile du temps» bien équilibré pour avancer avec sa toile réduite, restera agréable à barrer même par fort vent *(fig. 2)*.

Par contre, un yacht survoilé gîtera et dérivera au détriment de la route, surtout au plus près. Ceci sans compter la fatigue imposée au gréement et à l'équipage *(fig. 3)*.

COMMENT PRENDRE DES RIS

Lorsque vous savez d'avance que la force du vent justifie de prendre des ris, faites-le de préférence au port ou au mouillage.

Debout au vent, la toile battra un peu, mais vous pourrez faire votre travail plus tranquillement et plus soigneusement qu'en naviguant.

Néanmoins, comme le gros temps vous surprend souvent au large ou en eau trop profonde pour mouiller, nous allons vous indiquer comment prendre des ris tout en faisant route.

C'est par le bas de son triangle qu'on diminue la toile de la grand-voile. En temps ordinaire, *la ralingue de bordure* répartit la tension du gui sur toute la longueur de la toile, soit par les *coulisseaux* d'un chemin de fer, soit par l'engoujure creusée à même le gui.

Avec des ris, la toile devra être tendue et bien répartie le long du gui, sans plis ni paquets, pour ne pas être déformée.

C'est pour faciliter cette répartition qu'ont été inventés les divers mécanismes de *guis à rouleau,* qui sont de plus en plus courants sur les petits comme sur les grands voiliers.

Néanmoins, bien des bateaux ont encore des voiles munies de *garcettes de ris* qu'il faut attacher et détacher selon une technique précise pour ne pas abîmer la toile.

Examinons donc comment procéder dans les deux cas distincts:

Fig. 2 Avec grand-voile et petit foc, ces voiliers sont équilibrés pour une gîte normale: le pont au ras de l'eau.

Fig. 3 Gîte exagérée: le voilier ne remonte pas bien au vent et dérive beaucoup.

1. ARISER AVEC UN GUI À ROULEAU

Il faut commencer par réduire la pression du vent sur la voile, donc lofer très près du vent, border le foc au plus près serré et amener la voile.

Si votre foc est assez grand pour vous permettre de gouverner au plus près bon plein ou au vent de travers sans trop rouler, faites-le. Sinon mettez-vous au largue. Le vent apparent sera plus faible et cherchera moins à chasser la toile de tous côtés.

Faites tourner votre gui par le mécanisme du *vît de mulet* et enroulez la voile autour du gui en prenant soin de bien tirer la toile vers l'arrière au fur et à mesure qu'elle s'en roule. Assurez-vous qu'il n'y a ni plis ni poches tout le long du gui avant de remonter (au foc) le plus près possible du vent pour rehisser la voile.

Lorsque vous aurez acquis de l'expérience, vous pourrez vous dispenser d'amener totalement la voile et prendre vos ris tout en faisant route au plus près, ou presque, gardant ainsi le gui à votre portée, près du pont ou du cockpit.

Vous n'amènerez la voile que jusqu'à la hauteur correspondant au nombre de tours que vous voulez rouler, soutenant le gui par sa balancine si vous en avez une (sinon à la main pour le maintenir près de l'horizontale) et vous roulerez la toile aussi vite que possible.

Pourquoi vite? Parce que vous ne pouvez monter réellement au plus près avec une voile qui ne «tire» pas, puisque partiellement amenée. Le foc bordé serré vous permet tout juste de faire route à une allure voisine du vent de travers ou au mieux (avec un petit génois) au plus près bon plein.

Mais la voile ne se laisse pas sagement rouler comme dans un port abrité. Elle bat au vent (on dirait même qu'elle se débat!) pendant que vous la roulez et que vous gouvernez pour essayer de remonter le vent le plus possible sans aller jusqu'à virer de bord.

C'est une situation où vous en avez «plein les mains» et la présence d'un focquier n'est pas de trop pour vous aider.

Celui-ci s'occupera de tourner temporairement la drisse après avoir amené la grand-voile à la hauteur voulue, fera tourner le gui en enroulant la toile le plus loin possible vers l'arrière, tandis que vous vous occuperez de barrer d'une main (ou d'une jambe!) et de rouler la toile à votre portée.

Il s'agit donc de faire vite pour éviter les rafales et les brusques changements de cap ou de gîte qui pourraient en résulter.

2. ARISER AVEC UNE VOILE À GARCETTES DE RIS

Cette prise de ris est nettement plus délicate et plus longue qu'avec un gui à rouleau. Essayez donc de vous y prendre d'avance, au mouillage, plutôt qu'en route.

Cependant, en vous y entraînant plusieurs fois par brise légère ou moyenne, vous serez en mesure de le faire en naviguant, quitte à amener complètement la voile et à faire route au foc seul pendant un moment.

Vous aurez noté que les garcettes de ris sont des petites lignes cousues dans des *erseaux* (petits anneaux) ou des renforcements de la voile et disposées en une, deux ou trois rangées horizontales, selon les voiles.

A chaque extrémité d'une rangée, se trouve un anneau plus grand, une *cosse.* Celle qui est le long de la ralingue d'envergure est la *cosse d'envergure* et celle qui est le long de la chute est la *cosse de chute.*

Commencez par amener la voile, soit complètement, soit jusqu'à la première bande de ris. Amarrez ensuite la cosse d'envergure autour du gui et du mât, près du *vît de mulet.* Puis amarrez la cosse de chute à l'arrière du gui en lui donnant une forte traction vers le point d'écoute ordinaire et autour du gui lui-même.

Enfin, tirez et *ferlez* le reste de la toile en la roulant et en la serrant avec les garcettes, passées sous la ralingue de bordure et non sous le gui, au moyen de *noeuds plats,* dits *noeuds de ris.* (Voir chapitre XV)

Assurez-vous que la toile est bien roulée et tendue de manière égale avant de rehisser la voile *(fig. 4)*.

Si les points de ris de votre voile consistent en *cosses* seulement, sans garcettes, passez une ligne de transfilage en partant du point d'amure et en tournant en spirale à travers les cosses et sous la ralingue de bordure, jusqu'à la cosse de chute que vous amarrerez au bout du gui comme plus haut.

Pour prendre deux ou trois ris, vous procéderez de la même manière avec les 2e et 3e *bandes de ris,* toujours attachées sous la ralingue de bordure.

LARGUER LES RIS

Avec le gui à rouleau, l'opération est simple: d'abord gouverner au plus près pour avoir le gui à portée de la main et

Fig. 4   Garcettes de ris arisant la grand-voile.

la voile qui faseye. Ensuite, faire tourner le gui soutenu par la balancine et dérouler la toile. Enfin, hisser la voile. Et le tour est joué!

Avec les points de ris, c'est une autre histoire! L'opération est un peu plus longue, mais surtout il y a risque de déchirer la voile si on la hisse sans avoir largué tous les points de ris.

Pendant la période d'entraînement, il vaudra donc mieux amener toute la voile et larguer vos points de ris en paix. Mais lorsque vous aurez acquis de l'expérience, vous pourrez vous risquer à larguer vos ris tout en faisant route, mais avec les précautions suivantes:

Après avoir raidi la balancine, détachez d'abord la garcette du milieu du gui, puis celles qui entourent la ralingue de bordure, en larguant alternativement les garcettes vers l'avant et vers l'arrière.

Ensuite, détachez l'amarrage du point d'amure et enfin celui du point d'écoute, en terminant par le raban qui amarrait la chute autour du gui.

Enfin assurez-vous, avant de hisser la voile, qu'aucune ligne (garcette, raban ou transfilage) n'est coincée ou ne pend du gui. C'est l'oubli d'une garcette médiane qui cause souvent la déchirure de la voile au moment de hisser.

DE COMBIEN DIMINUER LA VOILURE?

La question qui se pose, en prenant des ris, est de décider de combien vous allez réduire la toile. Un tour, deux tours, trois tours de rouleau? Tout dépendra de votre jeu de focs. Bien entendu, pas de grand génois avec une grand-voile diminuée, même de peu.

Si votre foc ordinaire déborde un peu à l'arrière des haubans, vous pourrez facilement prendre de un à trois tours de rouleau tout en conservant un bon équilibre de la voilure, le bateau restant légèrement ardent, donc facile à faire lofer.

Si, par hasard, le bateau devenait *mou,* c'est-à-dire cherchant à *abattre* au lieu de lofer, surtout au plus près, il faudrait soit établir un foc plus petit, soit prendre un tour de rouleau de moins.

Si votre «foc de gros temps» est nettement confiné dans le triangle formé par la draille, le mât et le pont, vous pourrez rouler beaucoup plus votre grand-voile, mais pas au-delà du nombre de tours de rouleau qui laissent encore votre bateau un peu ardent et facile à gouverner.

Si vous n'avez pas idée de l'équilibre sous voiles ainsi obtenu, vérifiez-le *avant* d'être surpris par du gros vent, en essayant toutes les combinaisons possibles avec vos focs disponibles et le nombre approprié de tours de rouleau à la grand-voile.

Si enfin vous avez un très petit foc, un *tourmentin,* vous pourrez réduire encore plus votre grand-voile et *étaler* (subir sans dommage) du vent encore plus fort, tout en gardant un bon contrôle de la barre.

Il est cependant essentiel de ne pas diminuer la toile au point de rendre le bateau si lent qu'il répondrait mal à la barre. Rappelez-vous: pour gouverner, il faut une certaine résistance de l'eau le long du gouvernail et cette résistance décroît en même temps que la vitesse.

Ceux qui font beaucoup de croisières auront intérêt à inclure dans leur jeu de voiles une voile de mauvais temps, dite *voile de cape,* assez épaisse, très résistante et taillée plate. C'est la voile idéale de gros temps, parce qu'elle est beaucoup plus petite que la grand-voile ordinaire, diminue la force du vent dans la voilure et évite donc de prendre des tours de rouleau.

Elle est généralement prévue pour être utilisée soit seule, soit avec un tourmentin, pour *prendre la cape,* une allure où le voilier ne fait pas route, mais tient presque tête au vent (à peu près au même angle qu'au plus près bon plein), tout en avançant ou en culant très légèrement.

On obtient généralement la position d'équilibre des voiles *en bordant plat la voile de cape* (ou la grand-voile très réduite) et en *bordant le tourmentin* (ou un très petit foc) *au vent.* La barre est mise soit un peu sous le vent, soit dessous toute, selon les voiliers.

L'action des voiles s'annule, la grand-voile cherchant à faire lofer et le foc inversé maintenant l'étrave loin du lit du vent. Le bateau gîte très peu, la grand-voile faseyant presque continuellement. C'est une allure de repos pour le bateau comme pour l'équipage, mais qui permet encore de gouverner un peu *(fig. 5)*.

On peut aussi prendre la cape sans foc ni tourmentin, la grand-voile encore bordée plat et faseyant très près du lit du vent; mais ici l'allure est plus instable car une saute de vent ou une méchante vague peut faire *embarder* (dévier sous le vent puis au vent, ou inversement). Il faut donc rester alerte à la barre pour garder la grand-voile à son angle de faseyement et empêcher le bateau d'abattre ou de lofer brusquement.

Lorsque le vent mollit et redevient normal, il n'y a plus qu'à changer de voile et de foc!

Fig. 5 Une cape rapide s'obtient en bordant plat la grand-voile et le foc (ou tourmentin) au vent.

Les quelques minutes employées à ce changement de voiles sont peu de chose si on les compare au temps et aux efforts qu'il faut pour diminuer la voilure (qui dans le gros vent se démène comme une enragée!) lorsqu'on a trop attendu ou hésité à «faire la toile du temps» ...

Sur les petits dériveurs qui n'ont en général pas de voile de cape, le poids de l'équipage joue un grand rôle par forte brise. L'équipement du cockpit devra comporter des *sangles de rappel* permettant non seulement aux équipiers, mais même au skipper de s'asseoir et de se pencher au vent avec les pieds bien accrochés sous la sangle. Les renversements en arrière, synchronisés avec les rafales, permettront de limiter les coups de gîte et de garder le bateau plus droit *(fig. 6)*.

Le palan d'écoute de la grand-voile devra être multiplié et placé de façon à permettre un réglage rapide, pour serrer et border l'écoute d'une seule main tout en tenant la barre de l'autre. Celle-ci sera munie d'une rallonge à pivot articulé permettant de gouverner tout en étant penché au maximum ou placé assez loin en avant s'il le faut.

Fig. 6   Sangles de rappel.

Est-il besoin de souligner qu'il ne faut jamais *tourner* (amarrer) les écoutes aux taquets par gros vent, même sur un gros voilier? Vous devez pouvoir les larguer instantanément à chaque rafale et les border aussitôt après.

Elles pourront cependant être tournées d'un tour mort sur leur taquet si les rafales ne sont pas trop fréquentes, ceci pour réduire la crispation des muscles et la fatigue qui diminue le contrôle rapide des mouvements.

Sur un voilier lesté, les *taquets coinceurs* sont commodes et permettent un larguage quasi instantané, le winch absorbant le plus gros de la tension.

Mais attention aux taquets coinceurs qui ne se «décoincent» pas à la première secousse!

Si vous n'êtes pas sûr de vos équipiers, mieux vaut leur faire border leur écoute avec quelques *tours morts et croisés* (sans demi-clefs!) sur le taquet, de façon à pouvoir filer l'écoute vous-même d'une main si vous devez intervenir *in extremis* pour une action rapide.

Vous éviterez également les demi-clefs aux drisses, car elles sont trop longues ou difficiles à défaire quand elles sont mouillées.

De plus, il faudra toujours *lover* vos drisses bien en ordre pour qu'elles puissent être libérées instantanément. (Lorsque vous *devez* amener une voile, c'est que ça presse!)

Enfin, si vous n'avez pas de *cockpit étanche* (muni d'un système auto-videur) et surtout sur un petit voilier, efforcez-vous d'écoper l'eau embarquée le plus vite possible.

L'eau est du lest indésirable, non seulement à cause de son poids, mais parce qu'elle s'accumule *sous le vent,* augmentant la gîte et retardant les redressements escomptés en lofant et pouvant même faire chavirer un petit bateau.

LA NAVIGATION PAR GROS VENT

Au plus près

Lorsque le vent reste très fort et souffle en rafales, le louvoyage est souvent long et pénible, et à moins d'être sur un assez gros bateau avec un équipage costaud, on ne tient pas tellement à «faire de la voile» pour le plaisir de la chose. On cherche plutôt à gagner un abri le plus tôt possible pour y attendre que le vent mollisse, pour s'y sécher . . . et s'y reposer.

Comme la route directe vers un point situé au vent est impossible, il faudra rechercher tous les moyens d'abréger la distance et par conséquent la durée des bordées. (Rappelez-vous le proverbe: *«Au louvoyage, deux fois la route, trois fois le temps, quatre fois la rogne!»)*

Comme en régate, il faut savoir utiliser les sautes et les changements de direction du vent à son avantage. Ainsi, toutes les fois qu'une risée frappera vos voiles, lofez et laissez faseyer tant que vous garderez de l'erre.

Aussitôt la risée calmée, reprenez votre cap en guettant continuellement les moments où la brise *adonne* et vous permet ainsi de gagner de la distance au vent.

Lorsqu'au contraire le vent *refuse,* c'est-à-dire vous fait face non pas un instant mais pendant un bon moment, virez de bord et vous verrez que la nouvelle direction de la risée vous permettra de gagner au vent.

Prenez cependant des repères sur votre cap soit sur l'eau ou le rivage, soit au compas, pour être bien sûr de gagner ainsi à chaque virement de bord et ne pas risquer de prendre vos rêves pour réalités!

D'autre part, lorsque le clapot et le vent sont forts, il faut tenir compte du fait qu'à chaque virement de bord les vagues frappent votre coque de face, vous ralentissent et peuvent même vous faire manquer de virer.

De plus, avec un petit voilier, la reprise de la nouvelle bordée à vitesse trop réduite peut vous exposer à recevoir une rafale sans pouvoir réagir assez vite en lofant. D'où gîte dangereuse et risque de chavirement.

Par conséquent, à moins de pouvoir exécuter rapidement la manœuvre, virez le moins possible vent devant et essayez de combiner ces virements avec les moments où le vent refuse sur un bord pour adonner sur l'autre.

S'il n'y a rien à gagner sur une bordée plutôt que sur l'autre, profitez plutôt des accalmies pour virer de bord.

Aux allures portantes

C'est au vent de travers et au largue que le gros vent crée le moins de problèmes. Les amateurs de vitesse sont alors servis, car le bateau file, fendant l'eau en deux belles gerbes d'étrave (la *moustache!*) et à part les grosses vagues qui peuvent faire soudainement changer de cap ou *lancer dans le vent,* la barre et les écoutes ne sont pas trop dures à manoeuvrer *(fig. 7).*

C'est à ces allures qu'un dériveur *plane* facilement, même avec voilure réduite, et que tous les bateaux font le plus de route. Il semble qu'on pourrait continuer longtemps ainsi . . . pourvu que le vent n'augmente pas encore.

Mais il est rare que l'on puisse savourer longtemps ces belles pointes de vitesse avec un bateau facile à gouverner.

Il y a le louvoyage, ou tout au moins les bordées au plus près pour vous remettre «le nez dans la plume», et il y a surtout le grand largue et le vent arrière, avec la menace quasi constante de naviguer *à contre* dès que le vent change un peu de direction sur votre arrière.

Pour prévenir *l'empannage accidentel*, évitez le vent arrière dans les rafales et lofez pour courir au grand largue, de manière à remplir votre foc.

Vous vous assurez ainsi de garder la voile sous le vent, malgré le roulis qui tend parfois à la ramener en arrière . . .

Si vous devez absolument changer d'amure, évitez *l'empannage,* car même bien exécutée, cette manœuvre est toujours risquée par gros temps.

Remontez d'abord graduellement au vent en bordant vos écoutes et *virez vent devant,* reprenant le largue ou le grand largue sur la nouvelle amure en filant vos écoutes. Ceci

Fig. 7 Aux allures portantes, les amateurs de vitesse sont servis! La moustache en témoigne.

s'appelle *faire le tour.* C'est un peu plus long, mais beaucoup plus sûr.

Au grand largue, vous remarquerez parfois une tendance de votre étrave à piquer du nez tandis qu'une vague vous soulève par l'arrière.

Profitez du moment où votre bateau est juste au-dessus de la vague pour *arriver* légèrement et rester le plus longtemps possible sur la vague. Si l'étrave cherche encore à s'enfoncer après le passage de la vague, lofez légèrement pour faire route avec le vent un peu moins de l'arrière.

C'est aussi au grand largue que vous pouvez le mieux fuir le vent sous foc seul, avec une chance de ne pas avoir à rehisser votre grand-voile si votre route vous mène au port sans avoir à remonter le vent. C'est aussi l'allure où, après avoir amené votre grand-voile, vous pouvez le plus facilement établir une voile plus petite ou une voile de cape, quitte à lofer un moment pour la hisser.

Enfin, quand le vent devient de plus en plus méchant, c'est encore au grand largue que vous gouvernerez à sec de toile (toutes voiles amenées), à condition d'avoir assez d'eau devant vous pour attendre une accalmie et reprendre la route perdue.

En mer ou sur des grands lacs, il vaut la peine d'utiliser une ancre flottante lorsqu'on est à sec de toile et qu'on veut limiter la distance à laquelle on se fait déporter par le vent, en attendant le moment propice de refaire route sans voilure réduite.

L'ANCRE FLOTTANTE

Bien que les experts ne soient pas unanimes à recommander son utilisation dans toutes les formes de gros temps, le principe même de l'ancre flottante reste bon et vaut la peine d'être expérimenté pour savoir s'il convient à tel ou tel type de bateau.

Tout objet qu'on peut immerger partiellement et remorquer peut servir d'ancre flottante de fortune. Des cordages attachés en glènes (rouleaux) ou traînés sur de bonnes longueurs, des planches attachées ensemble, des chaînes, des seaux peuvent remplir le même usage et freiner le bateau.

La véritable ancre flottante consiste en un manchon de toile épaisse (semblable aux manches à air en tronc de cône des terrains d'aviation), munie d'un filin qui permet de la traîner comme un seau, en utilisant la résistance de l'eau qui s'engouffre dans sa grande ouverture. L'autre extrémité, plus étroite, est munie d'un autre filin qui permet de retourner l'ancre pour la ramener à bord par son côté effilé sans rencontrer de résistance *(fig. 8)*.

Amarrée à l'avant, l'ancre flottante permet de garder le bateau (plus ou moins!) face au vent, tandis que remorquée par l'arrière, elle limite beaucoup la vitesse de fuite et, par conséquent, la distance dont on sera déporté sous le vent.

Ce qu'il faut surtout éviter, c'est de laisser le bateau se mettre *en travers* (parallèle aux vagues), position dangereuse où le bateau roule tellement qu'il suffit d'une grosse vague pour le coucher de côté ou le submerger.

Même avec une ancre de fortune qui ne freine pas autant qu'une vraie, on arrivera tout de même à éviter cette position de travers, et c'est ce qui compte.

LE PETIT TEMPS

Un vieux proverbe anglais dit que «n'importe quel casse-cou peut barrer un voilier par gros vent, mais il faut de la cervelle pour barrer par brise très légère».

Fig. 8   L'ancre flottante.

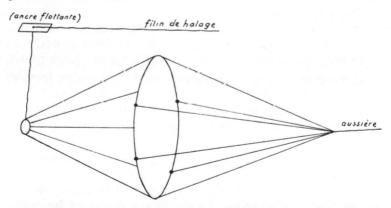

L'Ancre flottante doit faire partie de l'équipement de sécurité de tout yacht qui va au large, mais elle ne remplira son rôle que si elle est adaptée au bateau et si elle est correctement mise en œuvre.

En effet, lorsque l'eau semble «plate» comme un miroir, il y a le plus souvent, *au-dessus de sa surface,* une petite brise qui agite légèrement les penons des haubans et les feuilles des arbres au rivage.

Ces petits souffles d'air descendent parfois au niveau de l'eau et se manifestent par des zones plus ou moins sombres de vaguelettes qui apparaissent et disparaissent au gré des déplacements d'air.

Aux abords du rivage, ces zones peuvent être très étendues et indiquent une petite brise assez constante, le plus souvent causée par la différence de température du rivage et de l'eau.

Parfois aussi, ces petits courants d'air locaux sont les premiers symptômes d'une brise qui «se cherche» et qui, après avoir fait le désespoir des amateurs de «bonne brise», s'établit de manière plus nette et permet souvent d'avancer à une bonne allure sans être freiné par les vagues.

Ces fantaisies de la brise qui se lève, tombe, reprend en changeant de direction, retombe et reprend encore sans jamais se décider à s'établir pour de bon, font rentrer ou rester au port les impatients.

Bien sûr qu'avec un voilier lourd ou sous-voilé, il n'est pas agréable d'attendre indéfiniment de pouvoir faire route et de river ses yeux à des voiles qui refusent de se remplir... Vivement le moteur auxiliaire (ou les pagaies!), pour aller se promener, ancrer quelque part, se baigner... ou rentrer!

Mais avec un bateau normalement voilé, et à plus forte raison avec une coque pas trop lourde ou des voiles prévues pour la course-croisière, le véritable amateur de voile sait trouver dans le petit temps autant de plaisir (sinon plus!) que par bonne brise.

Repérer une nouvelle brise quand d'autres la cherchent encore, voir apparaître une minuscule vague d'étrave alors que le bateau se met à glisser comme un fantôme, sentir la légère pression qui s'exerce sur les écoutes et les voiles, quelle délectation pour celui qui sait apprécier les finesses de la navigation!

Le plus souvent, d'ailleurs, la patience et les astuces déployées à «flairer» et à tirer parti d'une brise naissante ou mourante sont récompensées par la satisfaction de trouver des réglages nouveaux et de connaître de mieux en mieux le «tempérament» de son voilier.

De même que le cavalier expérimenté essaie toujours de «faire corps» avec sa monture, l'amateur de voile accompli ne finit jamais de découvrir les réactions subtiles de son bateau pour «faire corps» avec lui.

Comme c'est par petit temps qu'on perçoit le mieux ces réactions, voyons ensemble comment en tenir compte dans votre navigation

Réglage des volles

A défaut d'une voile spécialement taillée pour le petit temps, c'est-à-dire assez légère et avec un creux très accentué (si vous régatez, c'est un achat qui en vaut la peine!), voici comment vous pouvez augmenter le creux d'une voile «toustemps»:

1. Raidissez très peu le point d'écoute et le hâle-bas (ou la drisse). Faites seulement disparaître les plis indésirables, mais pas plus.

2. Employez des *lattes* plus souples et plus légères, donnant juste assez de raideur vers la chute pour que celle-ci reste plate.

3. Servez-vous d'écoutes plus légères.

4. Allégez le gui en remplaçant ses poulies et manilles par des accessoires plus légers. Si vous le pouvez, diminuez même la démultiplication de votre palan d'écoute en laissant juste assez de *brins* pour pouvoir border votre grand-voile sans trop d'efforts au cas où la brise fraîchirait.

Il suffit souvent de quelques petits allègements ici et là pour diminuer sensiblement la tension qu'exerce le gui sur la toile et permettre à celle-ci de garder un creux assez accentué.

Autres réglages de petit temps

Lorsque la brise suffit tout juste à remplir le creux des voiles, aidez celles-ci à ne pas revenir vers le centre du bateau, dans les trous d'air, en provoquant vous-même une certaine gîte par le poids de votre équipage.

De par les formes de sa coque, tout voilier a un angle de gîte favorable qui permet à l'eau de s'écouler sans tourbillons le long de la carène et du gouvernail. Cet angle permet aussi de mieux serrer le vent au plus près. A vous de déterminer par de nombreuses expériences quel est cet angle et d'essayer de le maintenir en vous déplaçant (vous et vos équipiers) sous le vent tant que la brise est faible.

Notez que ceci est vrai aussi bien pour les petits que pour les grands bateaux. La brise légère remplira toujours mieux des voiles un peu inclinées par la gîte que si elles pendent d'un mât vertical ou roulent d'un bord à l'autre *(fig. 9)*.

Sur un voilier léger, la position de l'équipage aura encore plus d'importance à un autre point de vue, celui d'alléger les extrémités du bateau. En rapprochant le poids de l'équipage du centre du bateau, on permet à celui-ci de pivoter plus facilement, réduisant ainsi l'angle d'incidence du gouvernail, donc sa friction dans l'eau.

Lors des virements de bord au plus près, le foc ne devra pas être filé trop tôt, mais rester un instant *à contre* au moment où vous passez le lit du vent, pour aider l'étrave à tourner, puis être bordé sous secousses sur le nouveau bord sous le vent.

Tous vos mouvements et déplacements devront d'ailleurs se faire très graduellement, avec une souplesse presque féline, pour éviter toute secousse qui se transmettrait aux voiles et détruirait ce creux que vous essayez à tout prix de maintenir.

Remarquez avec quelle grâce et quelle précision les chats contournent les obstacles rencontrés sur leur chemin! Faites-en autant sur votre bateau dans vos mouvements, non seulement par brise légère, mais en tout temps et vous

Fig. 9 Par brise très légère, déplacez votre poids *sous le vent* pour provoquer une certaine gîte et garder les voiles pleines.

serez surpris du nombre de gestes et de manœuvres qui deviendront plus faciles!

Les vagues désagréables

Au nombre des facteurs dont il faut tenir compte par petit temps, il y a *les vagues.*

D'abord les vagues de fond qui, surtout en mer et dans les eaux profondes, persistent souvent très longtemps après que la brise est tombée. Elles secouent tellement les voiles qu'il est bien difficile d'utiliser les petits souffles d'air qui pourraient faire avancer, ne fût-ce qu'un peu.

Le mieux à faire est d'essayer d'immobiliser le gui dans le sens transversal au bateau par un système de *retenues* dont les points d'amarrage peuvent être multiples.

L'idéal serait d'avoir des taquets au niveau des bastaques et à la hauteur du gui pour bloquer celui-ci transversalement ou obliquement sans le tirer vers le bas et aplatir une voile qu'on veut garder creuse. Comme aucune partie du *gréement dormant* ne se trouve dans cette région avec les gréements Marconi d'aujourd'hui, puisque c'est l'arc de cercle où pivote le gui d'un bord à l'autre, il faut bien trouver des points fixes sur les bords du pont.

Pour compenser la traction du gui vers le bas et l'aplatissement de la voile qui en résulte, vous raidirez la balancine en donnant à la voile juste assez de creux pour qu'elle ne batte pas trop.

Si vous ne craignez pas les nombreuses retenues, vous pourrez même en passer une entre un bas-hauban et le pataras arrière, le gui étant saisi au passage.

Quant au foc ou au génois, il n'y a pas grand-chose à faire pour l'empêcher de ballotter que d'amarrer son point d'écoute au tangon de foc réglé par des retenues de manière à maintenir le point d'écoute à l'endroit voulu.

L'ennui avec toutes ces retenues, c'est d'abord qu'elles prennent un certain temps *à saisir* (fixer) et à régler pour trouver les angles les plus favorables de tension, et aussi qu'il faut les saisir toutes de manière à pouvoir être très rapidement larguées au cas où le vent reviendrait brusquement.

En voilà assez pour décourager même certains amateurs de brise légère et les inciter à ne pas prolonger leur attente d'un vent qui tarde à revenir!

Après tout, n'est-ce pas précisément dans ces rares moments sans vent qu'un moteur auxiliaire prouve son utilité ou qu'on peut tenter sa chance de mendier un remorquage?

Mais il n'y a pas que les anciennes vagues de fond qui soient désagréables par petit temps. Il y a les vagues, souvent énormes, faites par les bateaux à moteur...

Même si la petite brise remplit assez vos voiles pour gouverner facilement, ces vagues feront assez rouler votre bateau pour secouer les voiles et annihiler toute propulsion pendant un moment.

Le mieux à faire est de prendre ces vagues au plus près, plutôt qu'aux allures portantes. Vous roulerez moins et perdrez moins d'erre.

Comme ces vagues ne sont pas très nombreuses, tenez ou faites tenir votre gui à la main, en poussant vers l'extérieur contre la résistance de l'écoute. Le supplice sera vite passé et vous pourrez reprendre votre cap...

Lorsque vous rencontrerez un bateau à moteur qui ralentira en passant près de vous (il y en a encore, heureusement!), ne manquez pas de le saluer et de lui sourire! En constatant que sa courtoisie est appréciée, il incitera peut-être ses congénères à l'imiter!...

Et lorsque vous aurez envie d'épuiser votre cargaison d'injures à l'adresse des égoïstes à moteur qui se fichent éperdument des voiliers et des difficultés de ceux-ci à manoeuvrer par petit temps, rappelez-vous qu'il y a aussi des barreurs de voiliers qui abusent de leur droit de passage, obligeant parfois des bateaux à moteurs à sortir *in extremis* d'un chenal balisé ou à passer trop près d'obstacles...

«Si tous les hommes du monde voulaient se donner la main!...»

Chapitre XIV

SÉCURITÉ NAUTIQUE

PRÉVOYANCE

Si, dans la vie ordinaire, la prévoyance est une vertu très utile, elle est une qualité essentielle dans la navigation de plaisance.

Même si votre entourage vous trouve parfois trop minutieux, trop porté à prévoir des événements qui ont peu de chances de se produire, dites-vous bien que les imprévus, qu'ils soient d'origine matérielle ou humaine, feront souvent appel à toutes vos ressources, parfois en l'espace d'une seconde.

Il semblerait pourtant qu'avec un bateau bien dessiné, bien construit et bien équipé, les risques d'incidents et d'accidents devraient être assez minimes. Et à voir le nombre toujours grandissant de plaisanciers et de régatiers qui font de la voile saison après saison sans jamais connaître de mésaventures sérieuses, on serait porté à conclure que les accidents ne peuvent être que le résultat d'une ignorance crasse ou d'erreurs grossières, ou que ceux qui se mettent dans le pétrin ont sûrement voulu tenter le diable . . .

Pourtant tel n'est pas toujours le cas. Il y a d'abord le fait que, hélas! tous les voiliers ne sont pas également bien construits et bien équipés. De plus, comme dans d'autres domaines, l'élément humain annihile souvent tous les perfectionnements et les raffinements techniques, et une petite négligence peut causer autant de dommage qu'une faute.

Un voilier, même de taille respectable et très bien équipé, ne peut jamais corriger de lui-même les erreurs de celui qui le mène, ni affronter les éléments dans des conditions dépassant ses moyens.

La force d'un vent violent et des vagues déferlantes reste encore bien supérieure à ce que peuvent «encaisser» sans broncher la majorité des yachts dits «de plaisance», mais à bord desquels le plaisir peut facilement se transformer en une bataille de survivance.

Si l'on excepte la témérité et le manque d'expérience (qui peuvent rapidement se corriger avec de la bonne volonté!), il reste néanmoins des impondérables qu'on ne peut toujours éviter, mais dont on peut certainement minimiser les effets avec un peu de prévoyance.

Votre premier souci sera donc *l'ordre, le système,* ainsi que *l'entretien ou le remplacement de toute pièce qui s'use.*

Il suffit en effet d'un objet déplacé ou mal arrimé, d'une pièce usée qui cède, ou d'un petit accessoire de qualité inférieure pour qu'une manœuvre simple comme un virement de bord se transforme en un effroyable cafouillis, déclenchant parfois une réaction en chaîne d'incidents au nombre desquels l'empannage accidentel, la perte du gréement, l'échouement ou le chavirement ne sont pas les moindres.

L'ORDRE À BORD

C'est sur le pont et dans le cockpit que toutes les manœuvres doivent se faire avec précision. Rien ne doit donc y traîner.

Comme vous avez souvent à vous déplacer rapidement, rangez tout ce qui ne sert pas à la manœuvre. Vous pouvez être sûr que lorsque vous devrez vous arc-bouter pour border une écoute, votre pied glissera sur le chandail, le paquet de cigarettes (ou le verre!) qui aura été laissé là «parce qu'il fait beau et que rien ne presse . . .»

Si vous n'avez pas d'étagères et de tiroirs à bord (il est facile d'en faire de rudimentaires), ayez quelques sacs imperméables que vous placerez sous le pont ou sous les bancs.

Le petit ennui d'avoir à vous déplacer lorsque vous avez besoin de quelque chose n'est rien à côté des chutes possibles, des manœuvres manquées, des paquets d'eau embarqués ou des blessures subies lorsque le gui, les écoutes, les drisses (ou même les avirons) sont bloqués par des objets hétéroclites.

Gardez tous vos cordages bien en ordre, lovés si possible. Ceci s'applique même aux *manœuvres courantes* en usage constant comme les drisses et les écoutes.

Il suffit d'un virement de bord pour constater combien les cordages ont toujours la manie de s'emmêler, de se nouer et de se tortiller au moment où vous en avez besoin.

Vous aurez parfois l'impression de passer autant de temps à lover des cordages qu'à manœuvrer; qu'importe, vous serez paré à tout moment, comme il se doit.

SOUPLESSE ET AGILITÉ

Tout amateur de voile, même novice, sait que sur un bateau, surtout si celui-ci est petit et léger, on ne se meut pas comme sur terre. Le propriétaire d'un yacht apprend en général assez vite à se déplacer avec souplesse et à éviter les mouvements brusques et désordonnés.

Mais ses hôtes, ses passagers, sont souvent des gens qui auraient grandement besoin de culture physique . . .

Faute de pouvoir leur redonner leur souplesse perdue, les débarrasser de leur graisse ou de leur gaucherie, dites-leur exactement comment embarquer, où mettre les pieds et où ne pas les mettre, comment se placer et se déplacer.

Vous aurez peut-être l'air d'une bonne d'enfants par moments, mais cela vaut mieux que d'avoir à subir des frayeurs subites, des faux mouvements et des gestes nerveux qui peuvent gêner considérablement vos manœuvres.

A la voile, n'essayez pas «d'en mettre plein la vue» à vos novices en gîtant comme en régate ou en louvoyant au plus près dans le clapot pour asperger vos hôtes sous le prétexte de leur donner le baptême du large!

Même si rien de grave ne se produit, une personne qui se crispe les premières fois qu'elle embarque sur un voilier prend toujours beaucoup plus de temps à se détendre et à acquérir de l'aisance dans ses mouvements. La peur, même non avouée, est un handicap aussi tenace à voile qu'en natation: il faut parfois plusieurs années pour s'en défaire et, pendant ce temps, le plaisir d'une sortie en est amoindri.

Autant que possible, évitez d'embarquer des gens inquiets d'avance et des enfants trop remuants. Ou si vous le faites, choisissez un temps idéal, armez-vous d'une énorme réserve de patience ... et ne vous éloignez pas trop de votre point de départ!

Une sortie à voile devrait être une détente, une diversion heureuse à la vie trépidante d'aujourd'hui.

Peut-elle l'être sur un petit voilier lorsque vous découvrez que certaines personnes ont un contrôle plus ou moins grand de leur vessie, ou que le pont d'un plus grand bateau est encore trop petit pour le besoin de gambader d'un enfant?

Comme nous l'avons vu à propos de la navigation par petit temps, il peut être normal et même utile de se placer sous le vent lorsque la brise est faible, car votre poids ne risque pas de rendre la gîte dangereuse et vous avez toujours le temps de changer de bord si la brise fraîchit.

Mais lorsque l'eau commence à se couvrir de moutons, un *éléphant* (terrien non amariné) risque de s'y trouver pris comme un rat, glissant désespérément des pieds et des mains avant de pouvoir se replacer au vent.

Asseyez-le donc au vent dès le début ou, dans un petit bateau, dans le cockpit, si vous avez des doutes sur ses aptitudes à changer de bord rapidement. Là au moins, il sera tout près du bord où vous lui direz de se placer si la gîte augmente.

CE BÉLIER NOMMÉ GUI

Avez-vous déjà été frappé par cette masse aveugle qu'est un gui au moment d'un virement de bord, ou, pis encore, lors d'un empannage? Non? Tant mieux! Si oui, vous aurez constaté qu'un gui n'a pas besoin d'être gros pour vous assommer proprement!

Il lui suffit d'un peu d'élan (et il en prend beaucoup dans les changements d'amure) pour sculpter sur votre crâne ou votre visage des bosses qui n'ont rien d'esthétique, en plus d'être douloureuses ...

Un bon skipper recommandera donc toujours à ses passagers et équipiers de se baisser ou de s'accroupir lors d'un virement de bord.

Oubliez de le faire *une fois* et vous pouvez être sûr qu'au moment où il est occupé à regarder un autre bateau ou à chercher une écoute que vous lui aviez dit de border, un de vos invités recevra le coup de massue du gui.

Après cela, il fera sans doute attention, mais la peur lui donnera des complexes et risquera de gâter bien des joyeux louvoyages.

Apprenez à vos invités à sentir d'où vient le vent et montrez-leur qu'un gui est précisément construit pour passer d'un bord à l'autre!

Enfin, placez vos passagers non seulement en fonction du lest qu'ils représentent, mais aussi en prévision des manœuvres. *L'équilibre du bateau, le réglage des voiles et les mouvements de la barre doivent avoir priorité sur le confort.*

Tant pis pour les dames qui ne vous trouveront peut-être pas assez galant! Expliquez-leur gentiment avant d'appareiller qu'à bord, on ne s'installe pas comme dans un salon!

LES GILETS DE SAUVETAGE

Aussi appelées brassières de sauvetage (pas au sens anglais, mesdames!), les gilets passés autour du thorax ont peu à peu remplacé les anciennes ceintures de sauvetage, rondes, rigides et encombrantes, avec lesquelles on courait le risque de flotter la tête en bas lorsqu'elles glissaient trop près des hanches *(fig. 1)*.

Les règlements de sécurité nautique précisent qu'il faut avoir à bord *un gilet par personne embarquée.*

Les nouvelles ceintures en forme de fer à cheval *(fig. 2)*, qu'on peut attacher autour de la taille, sont surtout commodes pour être lancées en cas d'urgence. Remplies de

Fig. 1 Les gilets de sauvetage ont remplacé les anciennes ceintures rigides.

matière mousse, elles sont assez souples et ne risquent pas d'assommer ceux à qui on les lance, comme ce fut souvent le cas autrefois avec les anciennes ceintures-bouées.

Lorsque le mauvais temps menace, il vaut mieux enfiler les gilets d'avance, pendant qu'on est sec, que de le faire en

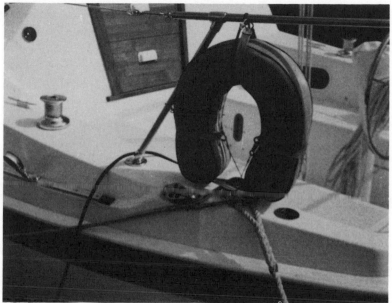

Fig. 2 Les nouvelles ceintures en forme de fer à cheval sont souples et ne risquent pas d'assommer ceux à qui on les lance.

hâte alors que les manœuvres se suivent à un rythme accéléré.

Si bon nageur que l'on soit, on peut s'épuiser rapidement lorsqu'on tombe à l'eau, d'autant plus que cela peut arriver à la suite d'un faux mouvement ou d'un coup douloureux.

D'ailleurs dans les clubs de voile et les régates organisées, les règlements ou instructions du jour rendent *obligatoire* le port des gilets de sauvetage sur tous les dériveurs et petits voiliers dès que la brise est forte. C'est une mesure de prévoyance fort sage et bien que certains gilets soient parfois un peu encombrants, ils ont au moins l'avantage d'être chauds et de couper le vent.

Ne vous fiez pas trop aux «coussins de sauvetage». Ils ne suffisent généralement pas à faire flotter un adulte de corpulence moyenne et on ne peut les porter sur le corps pour libérer les bras *(fig. 3)*.

Fig. 3   Ne vous fiez pas trop aux "coussins de sauvetage"!

UN HOMME À LA MER!

Lorsqu'une personne tombe à l'eau, que ce soit au large ou près du rivage, il faut toujours de l'action rapide et précise. Bien souvent les gens tombent à l'eau au pire moment possible: par une nuit noire, dans un fort clapot ou dans des herbes où ils ne peuvent ni marcher ni nager et où il est difficile de manœuvrer pour les repêcher.

La première chose à faire est de lancer une bouée de sauvetage ou autre objet flottant le plus près possible de la personne tombée à l'eau.

Lorsque la bouée est munie d'une ligne insuffisamment longue, elle peut être lancée *au-delà* de la personne à l'eau, de manière à ce que celle-ci puisse saisir la ligne ou la bouée quand vous la tirez vers vous *(fig. 4)*.

Bien entendu, ce geste de lancement doit être rapide et précis, et il ne peut l'être qu'après un certain entraînement. D'autant plus qu'il ne faut pas emmêler ou perdre la ligne de la bouée.

Fig. 4 Une bouée de sauvetage doit être accessible et prête à servir.

Ce mouvement est semblable au lancement d'une amarre et s'exécute comme suit:

1. Assurez-vous que l'extrémité de la ligne est bien amarrée au bateau;

2. Lovez le cordage dans une main, bien en ordre;

3. Prenez la bouée de l'autre main et balancez-la *vers le haut* en visant le but;

4. Laissez filer librement la ligne en ouvrant la main quand la bouée est au point le plus haut du balancement. (Lorsqu'il s'agit d'une amarre, vous procédez de la même manière, mais vous divisez le rouleau de cordage *(la glène)* en deux moitiés, une dans chaque main, lançant l'une des moitiés la première et laissant filer la ligne de l'autre main.)

Lorsque vous lancez une bouée munie d'une ligne, vous devez ralentir le bateau assez vite pour ne pas continuer votre chemin en tirant derrière vous la bouée hors de portée de la personne secourue. Si vous n'êtes pas sûr de la vitesse de vos manœuvres, il vaudra mieux laisser aller la ligne pour que la personne à l'eau puisse avoir la bouée près d'elle.

Quoi qu'il en soit, vous allez revenir aussi vite que possible vers le naufragé. Pour cela, trois manœuvres sont possibles:

Lofez immédiatement et larguez les écoutes du foc. Virez vent devant juste avant d'avoir perdu votre erre, puis revenez en faseyant sous votre nouvelle amure, comme *à la cape sans foc* décrite au chapitre XIII. Si votre bateau est déjà trop éloigné de l'homme à l'eau, rebordez vos voiles pour virer de bord et revenir au ralenti dans la direction voulue.

A toutes les allures sauf celle du plus près, cette manœuvre devrait vous permettre de rejoindre assez vite votre homme.

Mais au plus près, il peut s'écouler trop de temps avant que vos manœuvres vous permettent de vous approcher du but. Si le naufragé ne sait pas bien nager, il vaut la peine de courir quelque risque pour venir encore plus vite à son secours.

Ce risque, c'est *d'empanner* au lieu de lofer, *aussitôt après* la chute de l'homme à l'eau. De cette manière, vous revenez tout de suite sur votre route et pouvez lofer puis faseyer en vous mettant à la cape pour vous rapprocher de votre naufragé et le repêcher.

Si celui-ci est bon nageur, il n'aura pas de peine à rejoindre le bateau avec sa bouée. N'essayez surtout pas de manœuvrer à vitesse normale pour essayer de le rattraper au passage.

Si le naufragé nage mal, lofez un peu au vent de lui, puis mettez-vous à la cape. Si vous ne pouvez le rejoindre et le remonter à bord, envoyez à son secours un équipier bon nageur muni d'une ligne passée autour de la taille pour venir secourir le naufragé et l'aider à remonter quand le bateau sera à proximité. Au besoin, allez-y vous-même, à condition de laisser à bord au moins un équipier sachant manœuvrer.

Si vous n'êtes que deux à bord, c'est donc votre unique équipier qui est à l'eau, et vous serez seul pour manoeuvrer et vous rapprocher le plus possible de lui. Ou si c'est vous qui êtes tombé, il faudra que votre équipier sache manœuvrer à votre place!

S'il ne peut le faire, ou s'il n'y a que des «éléphants» à bord, il faudra procéder comme suit:

1. Lancer la bouée.

2. Laisser la barre libre et veiller à ce que rien ne l'*engage.*

3. Filer à fond les écoutes de foc ou, mieux, amener le foc.

4. Attendre en laissant faseyer la grand-voile ou, si le bateau cherche à virer de bord vent devant ou à fuir et à em panner, amener la voile en lofant.

S'il y a assez de fond pour le câblot de l'ancre, mouiller. Tout ceci suppose que les passagers devront avoir été mis au courant de cette procédure *avant* d'appareiller. Pour ne pas dramatiser inutilement, ni souligner des dangers très peu probables (surtout par beau temps), rien ne vous empêche d'établir un parallèle avec les instructions données à bord d'un avion ou d'un navire dès le début de tout voyage: il s'agit de familiariser les passagers avec des appareils et des mesures de sécurité qu'on espère n'avoir pas à employer. Personne ne s'en offusque et on s'initie avec bonne humeur.

A vous d'en faire autant sur votre voilier, en expliquant sur un ton plaisant le rôle de la barre (pour lofer), des écoutes (pour les filer), des drisses (pour amener les volles). Vous aurez ainsi fait d'une pierre deux coups: prévoir une manœuvre d'urgence et amariner (un peu) vos «éléphants».

Il faut aussi prévoir un cas rare mais possible: vous êtes seul à bord et vous tombez à l'eau, ayant fait l'erreur de saisir (attacher) la barre (à ne jamais faire lorsqu'on est seul).

La situation est sérieuse, mais ne vous énervez pas! N'essayez pas de nager derrière votre bateau qui fuit. Attendez. Tôt ou tard, votre bateau modifiera sa route et vous aurez une meilleure chance de vous diriger vers l'endroit où il cherche à lofer et à s'arrêter.

Lorsque la barre est libre, le bateau lofe et s'arrête beaucoup plus tôt; il est alors facile de nager (même habillé) pour le rejoindre.

Vous voyez par ce qui précède que pour secourir quelqu'un qui tombe à l'eau, il faut savoir à la fois *manoeuvrer et nager.* Si on embarque des «éléphants», il faut avoir à bord au moins un équipier sachant manœuvrer et nager. Si vous savez manœuvrer mais non nager, *ne sortez jamais seul.*

Reste à envisager une situation relativement plus simple, c'est celle où vous disposez d'un *youyou* (comme c'est souvent le cas en croisière) et d'au moins un équipier. Si un homme tombe à l'eau, il sera beaucoup plus facile de vous mettre aussitôt à la cape ou à l'ancre sans essayer de revenir sur votre route et d'aller chercher le naufragé avec le youyou plutôt qu'avec le voilier.

Enfin, le cas le plus facile est celui où vous avez un moteur. Amenez d'abord toutes les voiles et approchez-vous au ralenti du naufragé. Parvenu à sa hauteur, lofez et mettez le bateau debout au vent, un peu au vent de lui, de manière à pouvoir le repêcher de préférence par la hanche ou par tout endroit du pont qui ne risque pas de provoquer une gîte dangereuse, ou de trop rapprocher le naufragé de l'hélice en mouvement.

Lorsque le vent et les vagues vous empêchent de manoeuvrer lentement près de celui qui attend votre secours, lancez-lui une ligne pour le rassurer et l'aider le plus tôt possible, car il peut avoir avalé de l'eau ou s'être fatigué en vous attendant.

LE CHAVIREMENT

Un voilier qui chavire se couche sur le côté, verse, et soit reste retourné d'un quart de tour, gréement sur l'eau, soit tourne sur lui-même d'un demi-tour, puis flotte sur la surface, quille en l'air et gréement en bas.

Son équilibre latéral a été rompu, mais sa flottabilité est modifiée par toute surcharge anormale de poids, comme par exemple de l'eau embarquée.

Au point de vue de la stabilité latérale, un dériveur *lesté* réagit à peu près comme un voilier à quille profonde: après une rafale qui le fait gîter à l'extrême, il se redresse par le mouvement pendulaire de l'aileron lesté, faisant contrepoids autour du flotteur qu'est la coque.

Si la gîte excessive se prolonge au point de laisser embarquer de grandes quantités d'eau dans le cockpit ou la cabine, le poids de cette eau pourra dépasser la flottabilité du bateau et le faire couler. Si la flottabilité est *absolue* (comme c'est le cas pour certains bateaux de bois), le bateau ne coulera pas, même rempli d'eau.

Comme nous l'avons mentionné au chapitre IV, les dériveurs lestés et les voiliers à quilles sont pratiquement inchavirables, autrement dit ne restent pas couchés sur le côté et ne se retournent pas quille en l'air, bien que pouvant couler lorsque remplis d'eau.

En mer, au cours de fortes tempêtes, il y a bien eu quelques cas de voiliers lestés qui ont été retournés pendant quelques moments et s'en sont sortis.

Mais, répétons-le, il s'agit là de circonstances tout à fait exceptionnelles, bien différentes des conditions les plus difficiles que l'on rencontre dans la navigation de plaisance.

Par contre un dériveur *non lesté* (comme le sont tous les dériveurs légers), qui n'a pour s'opposer à la gîte que le poids de l'équipage placé au vent et celui (relativement faible) de la dérive, pourra chavirer dès que le poids *sous le vent* dépassera le *poids au vent (fig. 5)*.

Ceci arrivera par exemple lors d'une violente rafale qui augmente brusquement la pression sur les voiles, ou lorsque le bateau est temporairement incapable de lofer ou de laisser filer ses écoutes (barre et écoutes amarrées, par exemple), ou encore lorsque des personnes sont projetées sous le vent et incapables de remonter au vent tandis que l'eau embarque dans le cockpit.

Fig. 5 L'empannage accidentel, cause fréquente de chavirements des dériveurs.

Si déplaisante que soit cette éventualité, il faut néanmoins l'envisager pour prévoir les moyens de s'en tirer. Rares sont en effet les amateurs de yachting léger qui ne chavirent pas un jour ou l'autre. Certains régatiers se font même une spécialité de repartir sous voiles et de reprendre la course quelques instants seulement après un chavirement!

L'incident n'est donc pas dangereux, pourvu qu'on observe certaines règles:

1. Assurez-vous que les équipiers ou passagers ne sont pas blessés et ne sont pas gênés par quoi que ce soit.

2. Si vous êtes tombé à l'eau sans gilet de sauvetage, passez-les immédiatement. Ceci souligne la nécessité de les ranger près du cockpit pour pouvoir les atteindre facilement en pareil cas.

Ne laissez pas qui que ce soit prétexter qu'il est assez bon nageur pour s'en passer! On ne sait jamais combien de temps on restera dans l'eau, et la fatigue ou le froid peuvent gagner soudainement le meilleur athlète.

3. *Ne vous éloignez pas du bateau.* Accrochez-vous à lui et ménagez vos forces dès le début pour le cas où le secours serait long à venir. Si votre bateau dérive vers des haut-fonds, mouillez l'ancre.

4. Si le clapot n'est pas trop fort et si vous êtes encore frais et dispos, récupérez les pièces d'équipement les plus importantes. Une pagaie ou une section de plancher est à ce moment plus importante que beaucoup d'effets personnels.

   Cependant ne vous éloignez pas, ni en surface, ni sous l'eau pour retrouver quelque chose.

5. Si le clapot est fort ou si vous êtes très loin au large, amarrez-vous au bateau, ainsi que vos passagers, par des bouts (lignes de cordage) assez longs et permettant la liberté des mouvements.

REDRESSEMENT APRÈS CHAVIREMENT

Si votre bateau est facile à redresser, essayez de faire comme les régatiers. Abaissez la dérive et tenez-vous debout sur elle; en coordonnant vos mouvements comme sur une escarpolette, vous parviendrez peut-être à redresser le bateau, malgré le poids des voiles et du mât *(fig. 6)*.

Si le gréement retombe à l'eau aussitôt après en être sorti, amenez les voiles et groupez-les près du pont, saisies le mieux possible avec leurs écoutes. Cette fois, l'opération-redressement aura plus de chances de réussir *(fig. 7)*.

Si plusieurs essais sont infructueux, n'insistez pas; vous ne feriez que vous épuiser inutilement.

Par contre, lorsque le bateau veut bien se redresser, il faut l'empêcher de chavirer de nouveau en le vidant le plus possible et en laissant les voiles lofer. Il s'agit donc de démêler et de larguer les écoutes au plus vite, et d'écoper

Fig. 6   (3 photos) Redressement après chavirement.

Fig. 7 Pour être plus sûr de redresser après chavirement, amenez les voiles!

très rapidement pour dégager le haut du puits de dérive. Au besoin, bouchez temporairement celui-ci avec des chiffons ou des vêtements.

Une fois ce niveau d'eau atteint, vous pouvez diminuer un peu votre cadence, mais ne cessez pas d'écoper tant qu'il y a encore trop d'eau dans la coque pour assurer une flottaison normale.

Pendant ce temps, veillez à ce que les voiles faseyent sans chercher à se remplir et à ce que la barre reste libre.

Si le bateau cherche à démarrer et à embarder, amenez les voiles pour écoper en paix, sinon vous risquez un deuxième chavirement, même si votre ancre a bien mordu au mouillage.

Dès que votre coque est suffisamment vidée, vérifiez votre gréement et votre gouvernail, et vous pouvez repartir. Dérapez l'ancre, réglez vos écoutes et prenez une allure qui vous permette de finir de mettre de l'ordre (largue ou grand largue).

Avant de faire route au plus près, il faudra avoir écopé presque toute l'eau embarquée, sinon son poids s'ajoutera à celui de vos voiles mouillées pour vous faire verser de nouveau ...

REMORQUAGE APRÈS CHAVIREMENT

Lorsqu'un bateau vient vous porter secours avant que votre bateau soit redressé, commencez par envoyer vos équipiers et passagers à son bord.

Après quoi, soit seul, soit avec un équipier, redressez le bateau après avoir amené les voiles. Puis écopez le plus d'eau possible et passez la remorque autour du mât (et non au taquet de pont!). Dès que le remorquage commence, asseyez-vous vers l'arrière pour faire relever l'étrave et finissez d'écoper et de remettre de l'ordre.

Si vous ne pouvez redresser votre bateau, dévissez tous les ridoirs et enlevez le mât. Si possible, donnez-le au bateau de sauvetage, sinon amarrez-le solidement sur le pont.

Ne laissez jamais remorquer votre bateau avec le mât dans l'eau, même sans voiles! Si votre sauveteur n'est pas habitué à ce genre de manoeuvre, demandez de faire route à vitesse réduite!

Vous pourrez faciliter le remorquage en vous asseyant à l'arrière et en gouvernant, ou vous faire remplacer par quelqu'un d'autre. Mais toute personne qui veut bien vous aider *doit* porter un gilet de sauvetage.

L'ÉCHOUEMENT

Alors que *l'échouage* est l'action d'échouer *volontairement* (par exemple pour caréner ou réparer à marée basse), *l'échouement* est *involontaire* et *accidentel,* sauf pour empêcher un bateau de sombrer. Souvent précédé de coups donnés par la quille sur le fond (le bateau talonne), l'échouement est un incident que même les vétérans de la navigation à voile n'arrivent pas toujours à éviter.

Vous gardez une marge de sécurité assez grande en ne vous approchant pas des hauts-fonds, des battures ou des écueils connus, et si vous sondez toutes les fois que vous avez des doutes sur la profondeur réelle de l'eau, vous pourrez naviguer bien longtemps sans connaître l'échouement.

Mais une erreur de route ou de position est vite faite, et il arrive aussi que les bouées ou les écueils ne soient pas toujours à l'endroit exact indiqué sur la carte ...

Quoi qu'il en soit, l'échouement est un incident qui, même s'il ne comporte aucun danger au moment où il se produit, peut entraîner des suites fâcheuses quand il se prolonge, surtout si vous avez un fort tirant d'eau et si le mauvais temps se met de la partie.

Lorsque le bateau s'arrête pour de bon, commencez par observer son angle de gîte et examinez l'eau de tous les côtés. Si vous avez des «éléphants» à bord, empêchez-les de se précipiter tous du même bord et dites-leur calmement d'attendre vos instructions. Le déplacement de leur poids pourra être très utile, mais seulement s'il est effectué de manière ordonnée au moment voulu.

Souvent le bateau n'est échoué que sur une crête de roc entourée d'eau profonde et plus d'un petit dériveur a ainsi chaviré en faisant rouler frénétiquement le bateau d'un bord à l'autre pour le dégager.

Si votre bateau pivote un peu sur lui-même et se place vent debout, il est fort probable qu'il ne sera pas trop difficile à dégager.

Si vous le pouvez, faites pivoter le bateau de manière à le diriger dans la direction inverse de celle qu'il avait en échouant. Après avoir sondé en avant de l'étrave, bordez les écoutes au plus près et la gîte ainsi obtenue suffira souvent à diminuer votre tirant d'eau et à vous dégager.

Si vous êtes sur un dériveur, il est probable que la dérive aura talonné quelques fois avant que le bateau ne s'immobi-lise. Pour ne pas risquer de la coincer, relevez-la immédiate-ment et voyez si vous pouvez faire pivoter et repartir le bateau comme indiqué plus haut. Au besoin, enlevez le gouvernail pour ne pas l'accrocher et gouvernez avec un aviron pendant la manœuvre de dégagement.

Si le bateau refuse de se dégager par sa seule gîte sous voiles, essayez d'accroître celle-ci au maximum en déplaçant peu à peu les gens et les objets sous le vent, toujours en dirigeant l'étrave sur la route opposée au sens d'arrivée.

Augmentez votre propulsion en pagayant avec force (voilà une des raisons d'avoir 2 pagaies à bord, même sur les petits voiliers!) ou en prenant appui sur le fond avec pagaie ou gaffe!

Si cependant vous vous êtes échoué en faisant route au largue ou au vent arrière, il est peu probable que vous puissiez repartir contre le vent, d'autant plus qu'à chaque tentative celui-ci risque de vous échouer plus loin sur le haut-fond. Il vaudra mieux alors amener les voiles et essayer de vous dégager avec pagaie et gaffe.

Si vous disposez d'un moteur, assurez-vous que votre hélice n'est pas directement menacée et faites marche arrière après avoir sondé de ce côté et allégé votre étrave.

Pendant que le moteur vous tire vers l'arrière, faites un peu rouler le bateau pour déplacer le ou les points de friction de la quille, et aidez la poussée vers l'arrière avec pagaie et gaffe.

Si le bateau ne veut toujours pas «décoller», ce sera le moment d'entrer dans l'eau pour alléger le bateau et, si possible, le soulever et le placer dans la direction voulue. Attention à l'hélice et au gouvernail si ceux-ci sont près des roches!

Lorsque l'équipage est assez nombreux, mettez à l'eau les plus costauds pour les manœuvres de soulèvement et faites déplacer les autres sur le bateau pour faire basculer ou rouler.

Pendant que vous êtes dans l'eau, étudiez bien le relief du fond et repérez les endroits plus profonds par où vous aurez le plus de chances de vous dégager.

Essayez aussi d'augmenter la gîte en tirant par le côté sur une drisse. Lorsque vous disposez d'un youyou, vous avez là un moyen de plus, souvent radical, de vous dégager d'un échouement.

Mettez votre ancre dans le youyou et allongez son câblot d'une bonne longueur.

Portez alors l'ancre dans la direction par où vous êtes arrivé avant l'échouement et mouillez-la le plus loin possible. Tirez ensuite doucement sur le câblot depuis le bateau, pour donner le temps aux pattes de bien mordre le fond.

Délestez ensuite la partie échouée du bateau et tirez sur le câblot, vous aidant au besoin d'autres poussées par les pagaies, la gaffe ou le moteur.

Une autre manière d'utiliser le youyou est de vous en servir pour porter l'ancre aussi loin que possible sur le travers du bateau, de relier le câblot à une drisse de tête de mât et de hâler celle-ci depuis le bateau. Lorsque l'ancre est mouillée assez loin et mord bien, c'est la meilleure manière de réduire le tirant d'eau et de dégager la quille. Malheureusement, le bateau ne peut se dégager vers l'avant ou vers l'arrière. Il faut donc qu'il puisse être déplacé dans la direction de l'ancre *(fig. 8)*.

Néanmoins, si vous avez réussi de cette manière à progresser un peu dans la bonne direction, il n'y aura qu'à recommencer l'opération du mouillage de l'ancre par le travers. Ce peut être long, mais qu'importe si c'est efficace!

L'ARMEMENT D'UN VOILIER

L'équipement minimum, obligatoire pour les bateaux à moteurs et les voiliers, est donné en détail dans le *Guide de Sécurité Nautique* publié par le ministère des Transports, à *Ottawa.*

Ce dépliant donne aussi la signification des balises, les principales règles de route, la liste et la description des feux de position obligatoires ainsi que de nombreux renseignements et conseils utiles pour la navigation de plaisance.

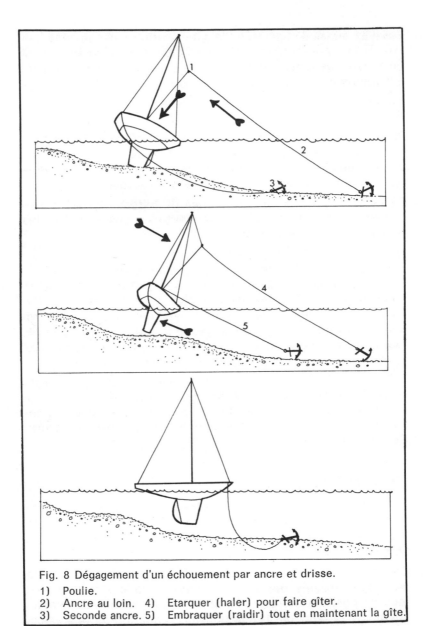

Fig. 8 Dégagement d'un échouement par ancre et drisse.

1) Poulie.
2) Ancre au loin.   4) Etarquer (haler) pour faire gîter.
3) Seconde ancre. 5) Embraquer (raidir) tout en maintenant la gîte.

On ne saurait trop recommander de se procurer ce dépliant et *de l'étudier en détail.*

Mais le navigateur avisé ne se contentera pas de se plier aux exigences des règlements qui ne représentent qu'un *minimum* dans *l'armement* (équipement) d'un bateau.

Un voilier n'est bien armé que lorsqu'il a à son bord non seulement les objets nécessaires à sa conservation et à sa navigation dans des conditions normales, mais lorsqu'il est paré à toute éventualité.

C'est ainsi qu'on doit recommander non seulement *une ancre,* mais deux, la deuxième étant plus petite pour un voilier de moins de 18 pieds [5.5 m] ou égale pour les voiliers plus grands.

Ceux-ci auront toujours intérêt à avoir une petite ancre légère (par exemple du type Danforth, indiqué au chapitre XII) non seulement pour stabiliser leur arrière lorsqu'il le faut, mais pour *empenneler,* ou mouiller en *barbe.*

Pour *empenneler,* on mouille d'abord la petite ancre, amarrée à l'ancre principale qu'on mouille ensuite, derrière la première. Les deux ancres en ligne tiennent mieux qu'une seule ancre qui aurait leur poids total *(fig. 9).*

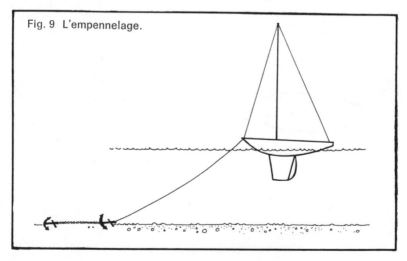

Fig. 9 L'empennelage.

Pour mouiller en barbe, on mouille deux ancres l'une derrière l'autre, chacune avec son câblot, quand on n'a pas pu les *affourcher* (les disposer en V), méthode la plus courante pour renforcer le mouillage *(fig. 10)*.

Enfin, la petite ancre pourra aussi servir de poids au câblot de l'ancre ordinaire, pour donner l'effet de ressort dont il a été question au chapitre XII, au sujet des longueurs de chaîne.

Toutes ces manières d'améliorer la tenue de l'ancre augmentent grandement la sécurité dans les mouillages exposés ou présentant un fond douteux.

Si donc vous pouvez vous contenter d'une ancre réglementaire pour les petites sorties d'après-midi, vous aurez intérêt à disposer d'un bon jeu d'ancres et de câblots dès que vous vous aventurez dans des eaux moins familières, ainsi que pour toutes vos croisières, grandes ou petites.

Vous verrez que ce n'est pas seulement lors d'un chavirement ou d'un échouement qu'on apprécie les ancres, mais

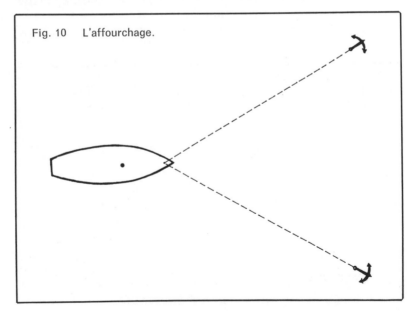

Fig. 10   L'affourchage.

en bien d'autres occasions! Il en va de même pour les cordages. Qu'ils soient *aussières,* amarres, remorques ou *bouts* (prononcez boutes!), vous n'en avez jamais trop!

Pensez aux amarrages à des quais exposés, aux remorquages, aux manœuvres d'accostage ou de démarrage dans des espaces restreints, pensez surtout aux écluses où il n'est rien de plus détestable (pour vous comme pour l'éclusier!) que d'être obligé de maintenir à la main ou avec des amarres trop petites un bateau que les vagues ou le courant empêchent de rester sagement accosté *(fig. 11).*

Autant d'occasions où tous vos cordages serviront et où, bien souvent, une *glène* de réserve ne sera pas de trop pour les compléter.

Les feux de position et les appareils de signalisation sonores sont spécifiés par les règlements, mais vous les compléterez d'un bon projecteur, d'une lampe de mouillage et d'au moins deux lampes de poche, si possible étanches. Même sur les petits lacs et rivières, il est contraire aux

Fig. 11 On n'a jamais trop d'amarres pour les quais exposés ou encombrés!

règlements de naviguer sans feux la nuit. En cas de collision, le bateau non éclairé sera coupable, en dépit de toute priorité de passage éventuelle.

Bien qu'aucun règlement ne le spécifie, il sera toujours utile d'avoir à bord des outils de première nécessité: pinces, tournevis, clefs anglaises, couteau, une pelote de *merlin* pour les petits amarrages, une autre de fil de caret pour les *surliures* au bout des cordages, sans parler des outils et pièces de rechange que demande un moteur, hors-bord ou fixe.

Plusieurs bonnes défenses et une gaffe suffiront pour la protection de votre coque dans les amarrages courants, mais pour la croisière, les appontements rugueux, les pilotis et les canaux, doublez-en le nombre si vous ne voulez pas couvrir votre coque de bas-reliefs très peu artistiques!

Certains propriétaires de petits voiliers, surtout ceux qui se contentent de quelques bordées dominicales sur des petits lacs ou des rivières, se diront peut-être en pensant au nombre et au coût de tous ces objets «Voilà bien de l'équipement inutile et des dépenses pour un petit bateau! Il n'y a qu'à être prudent et on n'a jamais besoin de tout ça!»

Voilà l'erreur! C'est justement lorsque tout semble facile qu'on est le plus porté à l'insouciance qui entraîne les imprévus.

En outre, quoi de plus rassurant pour un invité (et à plus forte raison une invitée!) que d'accepter une sortie à voile en sachant que le bateau est paré à toute éventualité et que son skipper ne s'en remet pas seulement à sa bonne étoile pour se tirer d'un imprévu!

Chapitre XV

CORDAGES ET NOEUDS

Tout yatchman se doit de connaître non seulement les divers cordages qu'il utilise constamment pour transmettre ou neutraliser les efforts, mais la manière de les réunir ou de les amarrer par des *nœuds* à la fois *solides et faciles à défaire.*

A moins d'avoir eu le privilège de vivre dans une famille de marins, la plupart d'entre nous avons eu des parents ou des éducateurs bien intentionnés, mais non marins, qui nous ont appris des nœuds «terriens» fondés soit sur leur solidité (et difficiles à défaire!), soit sur leur facilité à être défaits (mais ne tenant pas bien!), soit encore sur leur apparence plus ou moins décorative.

C'est ainsi que, d'une génération à l'autre, les «éléphants» continuent à faire par habitude ou par tradition des nœuds peu pratiques que le yachtman doit s'efforcer d'oublier le plus vite possible pour les remplacer par des *nœuds marins* dont la caractéristique est d'être très solides en toutes circonstances et de pouvoir se défaire sans s'accrocher les ongles, perdre du temps ou être contraint de couper un cordage, comme on le fait pour déballer des paquets!

Signalons ici qu'à bord d'un bateau il n'y a pas de «cordes», mais des *cordages* (mot de sens général) et des *manœuvres* (cordages ayant un rôle bien défini, dont nous avons déjà parlé à propos du gréement: manœuvres dormantes et manœuvres courantes). Une seule exception: la «corde» de la cloche!

Toutes les manœuvres portent un nom qui précise leur fonction, évitant ainsi toute confusion lors des ordres qui se succèdent souvent à une cadence très rapide.

Il en est de même des nœuds dont les noms désignent le plus souvent leur fonction ou leur origine, souvent très ancienne, remontant parfois aux débuts de la marine à voile.

LES DIVERS TYPES DE CORDAGES

Le chanvre, roi des cordages d'autrefois, est le plus solide, mais pourrit facilement et reste trop raide même après un long usage. C'est pourquoi il a été détrôné jusqu'à ces dernières années par le *manille,* plus simple, moins cher, solide et pourissant beaucoup moins vite. C'est encore le cordage le plus courant en marine professionnelle, mais il a quelques gros défauts pour le yachting de plaisance: il est très rêche et abîme les mains, il reste plutôt raide surtout lorsqu'il est mouillé, il court souvent mal dans les poulies, il s'use assez rapidement et sa charge de rupture est faible, ce qui oblige à l'utiliser en plus gros diamètres, donnant ainsi des cordages plutôt lourds et encombrants.

Néanmoins, il s'épisse très bien et coûte beaucoup moins cher que les textiles synthétiques, les plus employés aujourd'hui.

Le *sisal* est encore meilleur marché, flotte, mais est trop rêche et de qualité médiocre.

Le *coton* est solide et souple (très bon pour les écoutes), mais il donne (s'étire), s'use très rapidement et s'entortille abominablement lorsqu'il est mouillé.

Il pourrit peu mais se gonfle d'eau et n'a que peu de résistance, ce qui oblige comme pour le manille à utiliser de gros diamètres, augmentant ainsi le poids et l'encombrement.

Le *nylon* est souple, imputrescible, élastique et résistant, ce qui permet de l'employer dans de plus petits diamètres. Il donne cependant trop pour les drisses mais est parfait pour les écoutes, les câblots, les amarres et tous cordages à usages multiples.

Il s'use peu, reste propre et agréable aux mains (bien que parfois un peu trop glissant). Cependant, il est détestable à épisser et il coûte cher.

Le *dacron.* Plus raide que le nylon, il donne beaucoup moins et s'emploie donc aussi bien pour les drisses que pour les écoutes.

Il s'use plus vite que le nylon et il faut donc prendre soin de le protéger aux endroits où l'usure est fréquente. Le dacron tressé est idéal pour les écoutes ou les extrémités des drisses métalliques, mais il coûte très cher et on ne peut pas l'épisser.

LES NOEUDS

Les quatre premiers nœuds à connaître et à mettre en pratique sont le *nœud plat* (ou *nœud de ris*), le *nœud d'écoute*, le *nœud à capeler* (ou *nœud de cabestan*) et le *nœud de chaise*.

Le noeud plat (fig. 1), aussi appelé noeud de ris, sert surtout à réunir deux cordages de même diamètre.

Avant l'apparition des guis à rouleau, les voiles étaient munies de garcettes permettant de rouler et d'attacher la toile, ce qu'on faisait au moyen du «nœud de ris», qui a gardé le nom de cet usage.

Remarquez que chaque bout doit revenir le long de son *dormant* (partie fixe du cordage), à travers la boucle de l'autre cordage et sans la croiser, sinon c'est un *nœud de vache,* qui ne tient pas.

Fig. 1 Le noeud plat, ou noeud de ris.

Très serré, le noeud plat peut être difficile à défaire et c'est pourquoi on aura avantage à former une ganse avec l'un des bouts *(fig. 1A)*.

Le nœud d'écoute. Ce nœud (fig. 2) sert à réunir deux cordages de diamètres différents, la ligne la plus fine passant dans une boucle formée par le plus gros cordage replié sur lui-même ou épissé en œil.

Fig. 1A   Le noeud plat avec ganse.
Fig. 2   Le noeud d'écoute.

Pour plus de solidité, le nœud d'écoute peut être fait double *(fig. 2A)* ; ici encore une ganse faite avec le bout du petit cordage permettra de défaire le nœud plus facilement.

Le nœud à capeler ou nœud de cabestan. Ce nœud *(fig. 3)* sert à amarrer un cordage à un pilier, une bitte ou un bolard. Il est formé de deux demi-clefs passant dans le même sens autour du pilier que l'on coiffe en passant successivement les deux boucles.

Ce nœud ne'st recommandable que pour les amarrages temporaires, lorsque la traction exercée sur la partie fixe reste relativement constante.

Si cette traction se relâche ou devient soudainement violente, le nœud peut glisser.

Fig. 2A   Le noeud d'écoute double.
Fig. 3   Le noeud à capeler, ou noeud de cabestan.

Le nœud de chaise. C'est le nœud marin par excellence, qui doit son nom au fait qu'on peut s'asseoir dans la boucle formée sans qu'il se resserre *(fig. 4, 4A, 4B, 4C)*.

Fig. 4, 4A, 4B, 4C   Les quatre phases successives du noeud de chaise.

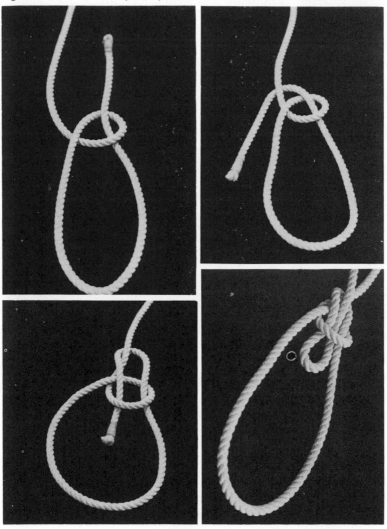

Il est facile à défaire dès qu'il n'est plus sous tension.

Il est utilisé dans tous les cas où l'on a besoin d'une boucle qui ne risque ni de glisser ni de se défaire, par exemple pour les amarres, les remorques ou même pour réunir deux cordages par leur boucle respective. Il permet aussi de réamarrer sur elle-même une amarre qu'on est allé passer dans une boucle sur un autre bateau ou à terre, boucle qui peut se trouver hors d'atteinte à un certain moment. On fait ainsi une sorte de noeud coulant, facile à défaire.

Outre ces quatre nœuds essentiels, voici quelques autres nœuds d'utilité courante:

Un tour mort et deux demi-clefs

Ce noeud est surtout utilisé pour s'amarrer à un quai, à un pilotis ou à une bitte, pour relier une ancre à son câblot ou encore pour amarrer une remorque à un mât *(fig. 5)*. Il consiste en un ou deux tours morts (ou plus) complétés sur le dormant par deux demi-clefs dans le même sens.

Fig. 5   Un tour mort et deux demi-clefs.   Fig. 6   Le noeud de grappin.

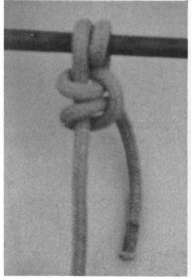

Les tours morts diminuent la friction et par conséquent l'usure du cordage, et la deuxième clef peut être munie d'une ganse pour faciliter le larguage. Si le cordage est trop long, on peut refaire le tout en double.

Le noeud de grappin (fig. 6) est le même noeud, mais avec le bout libre du cordage qui repasse dans le ou les tours morts. C'est un bon nœud pour le câblot d'une ancre, car il se serre moins lorsqu'il est mouillé.

Le tournage au taquet (fig. 7) consiste en un tour mort complété d'un ou deux tours en forme de huit et d'une demi-clef pour les drisses, *jamais pour les écoutes*, pour lesquelles on augmentera le nombre de tours morts ou de tours en huit à défaut d'un taquet-coinceur.

LES NOEUDS D'ARRÊT

1. *Le noeud à plein poing (fig. 8)*, facile et rapide à faire, mais gros, laid et difficile à défaire.
2. *Le noeud en huit (fig. 9)*, plus élégant, mais qui a tendance à se défaire tout seul.
3. *Le noeud de capucin (fig. 10)*, qui est le meilleur lorsqu'il est fait avec un tour impair de passes.

Fig. 7   Le tournage au taquet.

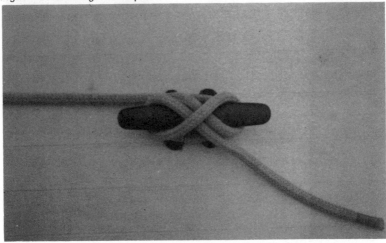

Fig. 8   Le noeud à plein poing.
Fig. 9   Le noeud en huit.

Fig. 10   Le noeud de capucin

4. *Le noeud de drisse* ou *noeud de batelier (fig. 11)*, qui peut servir à amarrer provisoirement un cordage à un espar ou à un banc. Il ne tient bien que si le cordage reste sous tension. On peut toujours augmenter sa tenue en faisant plusieurs tours morts avant de passer la ganse qu'il suffira de haler pour défaire le noeud.

Si son usage doit se répéter souvent au même endroit, mieux vaut poser un taquet!

LES ÉPISSURES

Une épissure consiste à joindre deux cordages ou un cordage sur lui-même en *œil* (boucle) par entrecroisement des *torons* (brins de cordage). Les épissures d'utilité courante pour le yachtman sont *l'épissure carrée (fig. 12)* et *l'oeil épissé (fig. 13)*.

L'épissure carrée. Cette épissure est plus solide que n'importe quel nœud. Elle est donc indiquée pour réunir deux

Fig. 11   Le noeud de drisse.

cordages, à condition qu'ils n'aient pas à passer par une poulie.

Voici les phases de l'opération *(fig. 12, 12A et 12B)*.

1. Commencez par lier un bout de ligne fine autour de chaque cordage, à environ une main de leurs extrémités.

2. Défaites les brins des deux extrémités des cordages (ceci s'appelle décommettre) et *surliez* les bouts de chaque toron (voir la surliure au paragraphe suivant).

3. Entrecroisez les deux cordages (ceci s'appelle les *marier)* en entrelaçant les torons de l'un et de l'autre comme les doigts de deux mains, doigts entre doigts.

4. Liez provisoirement le point de rencontre de tous les torons de chaque cordage.

5. Passez chaque toron alternativement par-dessus et par-dessous les torons non décommis de l'autre cordage et perpendiculairement à eux. Souquez (tirez) bien chaque toron de cette première passe de manière à ce que l'entrecroisement soit serré, ne laissant aucun toron incomplètement passé sous son vis-à-vis.

237

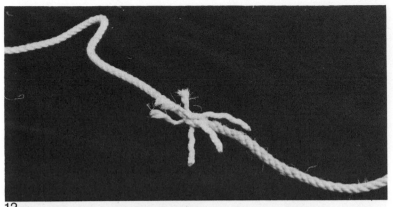

12

12A

12 B

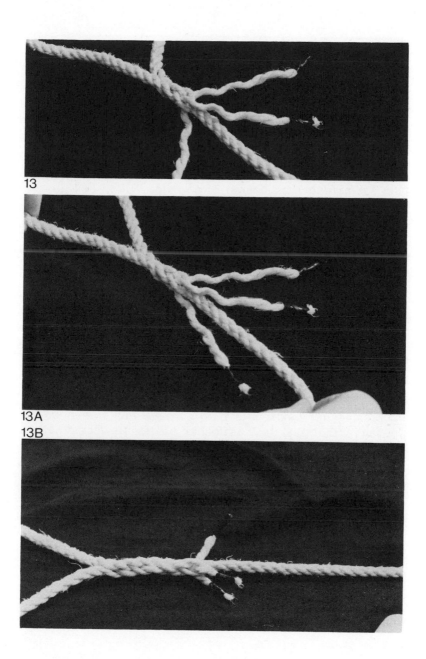

13

13A

13B

6. Après avoir fait deux ou trois passes d'un côté, coupez le lien provisoire et faites deux ou trois passes sur l'autre côté, continuant à souquer sur chaque toron pour serrer l'entrecroisement.

7. Faites encore une ou deux passes de chaque côté et laissez dépasser un peu chaque bout de toron pour qu'il ne puisse rentrer et glisser dans le cordage. Au besoin, surtout si le cordage est neuf, surliez les deux extrémités de l'épissure.

Pour les cordages en dacron et en nylon, faites des passes plus nombreuses et brûlez les extrémités de chaque toron au lieu de les surlier.

Pour éviter de décommettre à la main les torons d'un cordage sous lesquels vous faites une passe avec les torons de l'autre, servez-vous d'un *épissoir* (pointe de bois ou de métal), surtout si le cordage est neuf et dur.

N'épissez que des cordages secs et après avoir terminé l'ouvrage, roulez l'épissure sous le pied pour l'égaliser et lui donner le plus petit diamètre possible.

LA SURLIURE

Pour empêcher l'extrémité d'un cordage non tressé ou ne pouvant être brûlé de s'effilocher ou de se décommettre, on le *surlie* au moyen d'un *fil de caret* (fil mince très solide et ciré) *(fig. 14)*.

La *surliure* consiste à entourer le cordage avec ce fil, enroulé très serré et sans nœuds. Pour faire un travail durable et propre, le cordage et le fil de caret devront être secs. Si vous ne disposez pas de fil déjà ciré, servez-vous de n'importe quel fil solide que vous cirerez vous-même avec de la bougie ou de la cire d'abeille.

La surliure la plus facile et la plus courante se fait comme suit:

1. Placez une ganse de fil en longueur sur le cordage *(fig. 14)*.

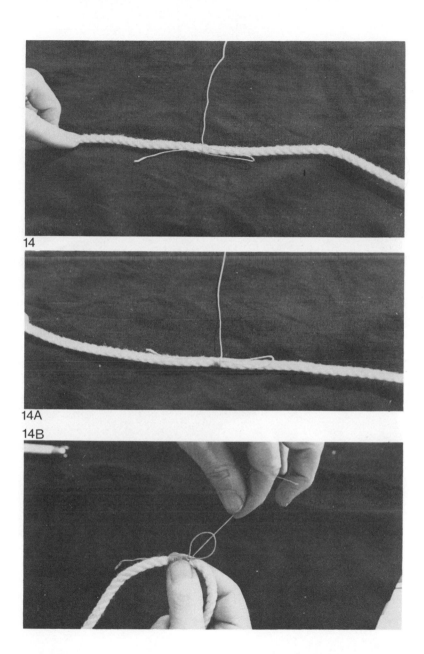

14

14A

14B

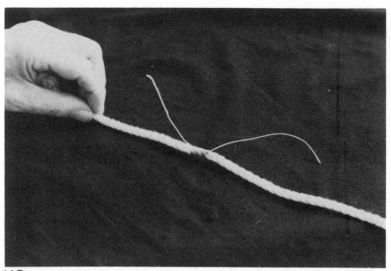

14C

14 D

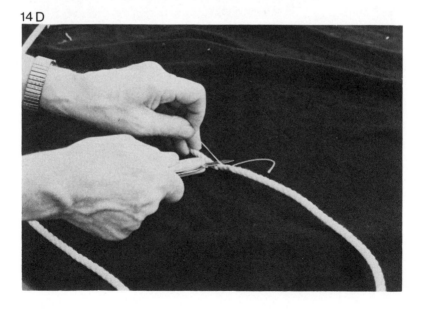

2. Tournez l'autre bout du fil (ou son peloton) autour du cordage et de la ganse (la direction n'importe pas) *(fig. 14A)*.

3. Assurez-vous que l'enroulement est très serré et que les tours se touchent sans laisser aucun espace.

4. Passez le fil dans la partie de la boucle de la ganse qui sort de la surliure et tirez sur le bout libre du fil emprisonné jusqu'à ce que la boucle entraîne le fil qui termine la surliure jusque sous la ligature *(fig. 14B et 14C)*.

5. Coupez les brins au ras de la surliure, puis le cordage lui-même, pas trop près de la ligature *(fig. 14D)*.

   La longueur de la surliure sera proportionnelle à l'épaisseur du cordage.

Pour les cordages synthétiques, il suffira de chauffer le bout du cordage avec une flamme d'allumette ou de briquet *(fig. 15)*, sans appliquer la flamme directement, pour souder les brins sur une petite distance et les empêcher de s'effilocher.

Le ruban adhésif peut remplacer provisoirement une surliure, mais c'est la marque d'un bon marin que d'avoir toutes ses manœuvres bien surliées!

15

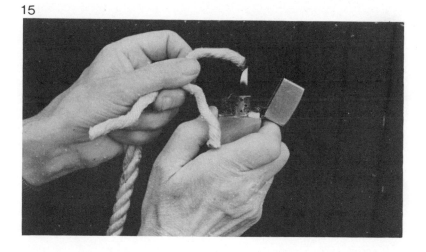

Chapitre XVI

LE SPINNAKER

S'il est un spectacle magnifique, majestueux même, c'est bien celui d'un spinnaker aux couleurs vives qui, gonflé comme un parachute et ondulant légèrement à la brise, semble donner au voilier qui le porte un élan irrésistible.

Et lorsque les bateaux en régate, dispersés au louvoyage, se regroupent autour d'une bouée et déploient un à un leur spinnaker pour suivre leurs parcours aux allures portantes, on dirait autant de fleurs multicolores que le vent fait éclore lo long d'une procession interminable. C'est une véritable féerie, un régal pour les photographes et les cinéastes *(fig. 1)*.

Fig. 1   La procession des spinnakers est un régal pour les photographes.

Mais s'il est beau à voir lorsqu'il est déployé, le spinnaker n'en reste pas moins une voile assez délicate à manier, parfois même difficile. C'est essentiellement une voile de course, mais comme la plupart des voiliers modernes en sont équipés, il est bon d'en connaître le fonctionnement assez particulier.

En effet, même si vous ne faites pas de régate actuellement, vous serez tôt ou tard appelé à vous servir d'un spinnaker, soit comme équipier, soit comme barreur, ne fût-ce qu'en promenade ou en croisière.

C'est d'ailleurs par brise légère et régulière, alors que rien ne presse, que vous pouvez le mieux vous familiariser avec cette voile que beaucoup redoutent.

Et pourquoi la redoute-t-on? Parce qu'on l'a essayée à l'improviste, sans entraînement préalable, dans des conditions difficiles, ou encore parce qu'on garde à l'esprit les tours pendables qu'on l'a vue jouer même à des équipages entraînés.

Il en va du spinnaker un peu comme de l'empannage. Au début, on le craint (surtout sur un petit voilier qui peut chavirer à la suite d'un empannage accidentel), puis on s'habitue à la manœuvre et un beau jour, connaissant mieux les réactions du bateau et des voiles aux diverses forces de vent, on s'enhardit et on s'aperçoit qu'une manœuvre bien exécutée ne se fait sans accroc qu'avec une parfaite coordination de mouvements.

C'est cette coordination qui permet un empannage sans secousse ni gîte intempestive et c'est aussi la coordination du travail des équipiers et du barreur qui permet l'utilisation du spinnaker.

Cette comparaison avec la manœuvre de l'empannage est d'autant plus valable que lorsqu'on navigue avec un spinnaker, il arrive qu'on doive à la fois empanner et changer le spinnaker de bord sans l'amener. Ceci comporte alors non seulement deux manœuvres fondues en une seule, mais un très haut degré de précision.

Mais pourquoi tout ce travail et tous ces risques d'incidents ou de manœuvres ratées alors qu'il est si simple de naviguer paisiblement au vent arrière ou au largue avec les écoutes bien filées, les voiles gonflées, sans autre souci que de surveiller les sautes de vent et le roulis?

Parce que la voile est non seulement un sport dans lequel on cherche toujours à améliorer le rendement, mais aussi une science qui, comme nous l'avons vu au chapitre II, a continuellement évolué au cours des années.

Le rendement, c'est ici la route parcourue en croisière ou le temps gagné sur un concurrent en régate. Or le gréement Marconi, dérivé du gréement aurique, est beaucoup moins efficace aux allures portantes que ne l'étaient les voiles carrées d'autrefois.

Avec ses focs envergués aux drailles et ses voiles enverguées aux mâts, le gréement Marconi permet certes de remonter le vent par le phénomène de succion expliqué au chapitre VIII (ce qu'on ne pouvait faire avec les voiles carrées), mais aux allures portantes il devient singulièrement déséquilibré.

Le centre d'effort est entièrement porté du même côté du bateau au largue et à peine mieux équilibré au vent arrière avec les voiles en ciseau. Le foc ou le génois d'un sloop, la misaine d'une goélette ou l'artimon d'un ketch ne complètent que partiellement la grand-voile sur le bord opposé, et toutes ces voiles n'ayant que peu de creux pour se remplir, la route est lente et monotone.

Sauf par brise très légère, le roulis tend alors à balader les voiles d'un bord à l'autre d'une manière si désagréable qu'on est le plus souvent contraint de les arrimer à divers endroits avec toutes sortes de retenues pas toujours faciles ni rapides à larguer en cas d'urgence.

C'est ce problème d'améliorer non seulement la vitesse, mais l'équilibre de la voiture et de la barre aux allures portantes qui a fait naître, vers la fin du siècle dernier, les *focs-ballons*, qu'on se mit de plus en plus à porter du côté opposé à la grand-voile et à écarter du mât au moyen de *tangons* de plus en plus longs.

Et un beau jour, en 1866, lors d'une régate en Angleterre, un yacht dont le nom était le *Sphynx,* arbora un immense foc-ballon, taillé beaucoup plus creux que les autres, qui lui valut la victoire *(fig. 2).*

A cause de son énorme surface, les Anglais appelèrent cette voile «sphynx-acres», d'où le nom *spinnaker,* employé maintenant dans toutes les langues. En français, le nom est souvent utilisé sous sa forme abrégé de «spi».

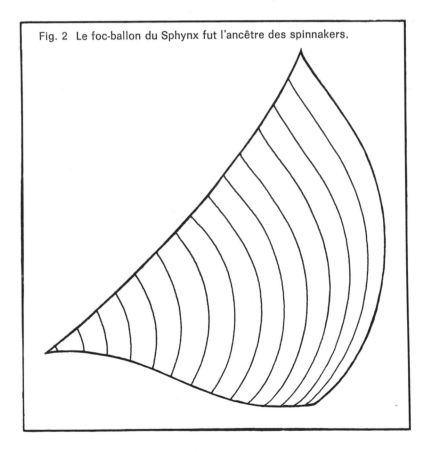

Fig. 2 Le foc-ballon du Sphynx fut l'ancêtre des spinnakers.

Les premiers spinnakers furent donc taillés comme des grands focs creux, non envergués et retenus par leur trois pointes. Un de leurs côtés était cependant muni d'une ralingue qu'on s'arrangeait à présenter au vent du côté du tangon, tandis que le bord opposé se réglait comme la chute d'un foc.

Au vent arrière, au grand largue et au largue, cette voile permettant ainsi d'équilibrer la poussée unilatérale de la grand-voile et d'augmenter considérablement la propulsion.

Au vent de travers, le bas de la ralingue s'amarrait au point d'amure du foc, au bas de l'étai avant et le point de drisse étant hissé presque jusqu'en tête du mât, on avait ainsi une sorte de grand foc débordant jouant en quelque sorte le rôle d'un génois.

Cependant la ralingue n'étant pas enverguée sur une draille, on ne pouvait la raidir que par la drisse et le bord d'attaque accusait toujours une courbure plus ou moins prononcée.

Cette courbure se mettait à faseyer dès qu'on serrait le vent plus près qu'au vent de travers (à peu près à l'allure du plus près bon plein), ce qui rendait cette voile inapte à bien remonter le vent. Elle ne pouvait donc remplacer vraiment un bon génois et n'était utile qu'aux allures portantes et, par petite brise, au vent de travers ou de quelques degrés plus au vent. D'ailleurs pour changer d'amures, la présence d'une ralingue sur un côté obligeait à faire passer la chute d'un bord à l'autre en passant par l'avant des étais, ce qui compliquait singulièrement ces manœuvres.

On abandonna alors l'espoir de faire du spinnaker une voile à toutes sauces et on se mit à le perfectionner en augmentant sa forme sphérique pour augmenter sa poussée aux allures portantes, laissant aux génois endraillés l'aptitude à être bordés plats pour le louvoyage.

C'est ainsi que le spinnaker évolua vers sa forme actuelle de parachute, de plus en plus creux, réversible et porté très haut pour assurer une poussée de bas en haut qui soulage l'avant du bateau *(fig. 3)*.

Fig. 3 Le spinnaker moderne se porte très haut.

Si nous avons dit un mot des anciens spinnakers à ralingue, c'est parce que beaucoup d'entre eux sont encore en service et qu'il est bon de souligner qu'ils étaient, en quelque sorte, des spinnakers de transition.

MANOEUVRE DU SPINNAKER

Les trois coins de la voile sont réglables; le haut, par la drisse, qui permet de hisser le spinnaker plus ou moins haut, ou encore de rapprocher ou d'éloigner du mât la partie supérieure du triangle; les deux coins inférieurs sont bordés depuis l'arrière par des cordages semblables, mais celui qui est frappé (amarré) au coin écarté du mât par le tangon (sur le bord opposé à la grand-voile) s'appelle la *retenue*, tandis que l'autre, qui borde le côte libre de la voile comme une écoute, s'appelle *l'écoute*.

Lors d'un changement d'amures, les deux cordages changent de nom. Le tangon change de côté, étant toujours porté sur le bord opposé à la grand-voile. Sa retenue, maintenant libre, devient l'écoute, tandis que l'écoute, maintenant frappée au coin maintenu écarté par le tangon, devient retenue.

D'autre part, le tangon devant être maintenu horizontal (ou à peu près), son poids est supporté par une *balancine* venant du mât et capelée au milieu de l'espar. Ceci évite l'affaissement du tangon lorsque la brise mollit *(fig. 4)*. Sur un petit voilier, on peut se contenter d'un *sandow* (cordage élastique).

Lorsqu'au contraire la brise augmente de force, le tangon cherche à se soulever et à se rapprocher du mât ou de l'étai, selon le cas. On le maintient en place par le bas au moyen d'un *hale-bas* muni d'un palan dont la poulie inférieure doit être placée sur le pont aussi près que possible du milieu du tangon.

Comme le tangon doit pouvoir être réglé d'avant en arrière sur un quart de cercle compris entre l'étai et le premier hauban, la poulie inférieure de son hale-bas devrait, en principe, être toujours à la verticale du milieu du tangon. Au-

Fig. 4 Le spi et son gréement: tangon, retenue (l'écoute est du bord opposé), balancine et hale-bas.

Fig. 5   Le spi doit pouvoir se gonfler avec une tendance à s'élever.

trement dit, la poulie inférieure du hale-bas devrait pouvoir courir sur un chemin de fer semi-circulaire, fixé sur le pont, et dont le centre de rotation est le mât.

C'est le système qu'emploient les grands yachts et ceux dont le pont permet l'installation d'un tel chemin de fer.

Lorsque ce système est trop compliqué ou trop coûteux à installer (par exemple, lorsqu'il y a une écoutille ou une partie avant de cabine qui lui fait obstacle), on peut se contenter de frapper la poulie inférieure du hale-bas sur le pont ou sur le dessus de la cabine, juste en avant du mât.

Le hale-bas ne tombant pas à la verticale du milieu du tangon, mais étant d'autant plus oblique que le tangon est plus long, il s'ensuit que son palan devra être mieux démultiplié et mieux arrimé pour maintenir le tangon en position horizontale.

Pour obtenir le maximum d'efficacité du spinnaker, il faut que cette voile puisse se gonfler vers l'avant avec une tendance à s'élever *(fig. 5)*. Il faut donc filer écoute et retenue le plus possible et lever le tangon.

Pour que celui-ci puisse être réglé à diverses hauteurs, le mât sera équipé de deux ou trois anneaux ou, mieux, d'un chemin de fer sur lequel monte ou descend un œil mobile. La retenue sera réglée de manière à maintenir le tangon *à angle droit avec le vent apparent.* L'écoute sera filée jusqu'au point où le spinnaker commence à peine à faseyer.

Ce faseyement se détecte par une légère ondulation du bord de la voile présenté au vent par le tangon, ondulation qui tend à faire replier le spinnaker sur lui-même.

Pour garder le spinnaker bien plein et éviter cette ondulation, donnez une secousse à l'écoute tout en la bordant un peu plus, quitte à la filer de nouveau un peu si le spinnaker reste gonflé.

Comme le vent change souvent de direction, il faut rester continuellement aux aguets pour filer l'écoute jusqu'à la limite du faseyement tout en arrêtant immédiatement celui-ci dès qu'il se manifeste. D'autre part le tangon, par sa retenue, devra lui aussi être continuellement réglé en fonction des changements de direction du vent.

COMMENT ÉTABLIR LE SPINNAKER

Sur les petits voiliers, il est préférable de préparer et de gréer le spinnaker bien avant de s'en servir. On le ramasse d'ordinaire dans un sac, dans un récipient léger ou dans un petit coffre placé sur l'avant du pont.

Chaque côté de la voile est plié ou groupé bien à part, du point de drisse aux points d'écoute (dont l'un sera le point de retenue, au tangon), en évitant tout entrecroisement d'un côté à l'autre du récipient. Le spinnaker est une voile qui doit être hissée et établie aussi rapidement que possible, sans quoi il ne tarde pas à s'entortiller, à former de multiples poches et à danser une sarabande infernale . . .

Le plus gros de la voile étant donc soigneusement rangé dans son récipient, les trois pointes seront placées sur le dessus, prêtes à être capelées, le point de drisse au centre, puisque c'est lui qui sortira le premier.

Pour éviter que ces trois pointes ne s'entremêlent dans le récipient, il sera utile de les attacher avec une petite ligne qu'on n'aura qu'à détacher au dernier moment.

Il est important que toutes les manœuvres, drisse, retenue et écoute passent à l'extérieur du gréement. Sur les voiliers plus grands, on installe généralement le récipient à l'avant du balcon ou du pont, la drisse étant amarrée au bas de l'étai ou au balcon, prête à être capelée au spinnaker par un mousqueton à émerillon.

Bien qu'en régate le spinnaker soit parfois hissé *au vent,* donc sur le bord opposé à la grand-voile, c'est *sous le vent* que la manœuvre est le plus souvent exécutée, parce que plus sûre. D'autre part, comme les tâches sont nombreuses et souvent simultanées, c'est avec deux équipiers (en plus du barreur) qu'on pourra le mieux obtenir cette coordination d'action dont nous parlions plus haut.

Voyons donc comment procéder dans ces conditions. Un équipier est envoyé à l'avant pour établir le spinnaker, tandis que l'autre restera dans le cockpit pour veiller à l'écoute, à la retenue et au déploiement de la voile.

Si le spinnaker n'a pas été placé à l'avance sur le pont (ce qui est toujours préférable), l'équipier qui se rend en avant y porte la voile dans son récipient, s'assurant au passage que les manœuvres passent bien en dehors du gréement.

Il ne doit pas se contenter de poser le spinnaker sur le pont, même dans un récipient compact comme un seau, un panier ou un sac, mais accrocher celui-ci par un mousqueton à un point du pont déterminé d'avance. Ceci pour empêcher que le spinnaker ne glisse à l'eau durant la manœuvre. Le tangon est ensuite croché au mât et la retenue capelée à son autre extrémité, posée près de l'étai.

L'écoute et la drisse sont ensuite capelées au spinnaker, en vérifiant une dernière fois que la drisse tombe bien sous le vent, derrière le foc, directement de sa poulie de mât.

Lorsque tout est prêt et juste avant le moment de hisser le spi, l'équipier sort le coin de la voile qui va au tangon, le passe en avant autour de l'étai et le croche au tangon et à la retenue.

Si le vent est plutôt frais, il sera préférable de capeler d'avance le hale-bas au tangon, tandis que si la brise est faible, on aura avantage à capeler la balancine, quitte à régler plus tard la hauteur de l'un ou de l'autre.

Tout étant paré, l'équipier en informe le skipper qui donnera l'ordre de hisser au moment voulu. En effet, à moins d'ordre contraire, l'équipier préposé à l'établissement du spi ne doit pas peser sur une drisse dès qu'il trouve, *lui*, que tout est prêt!

Même en promenade ou en croisière, le barreur peut avoir à modifier son cap, à régler les voiles ou à se placer différemment pour prendre la relève aux écoutes, dont l'équipier du cockpit s'occupait jusqu'à ce moment.

Plus d'un spinnaker est tombé à l'eau ou a été déchiré (rappelez-vous que c'est une voile fragile!) pour avoir été hissé prématurément, alors que le barreur n'avait pas eu le temps de placer le bateau ou les voiles dans la position la plus favorable pour *masquer* (abriter) le spinnaker derrière la grand-voile *(fig. 6)*.

En course, on a déjà vu des spinnakers à moitié hissés aller se promener jusque dans le gréement des concurrents voisins, au grand désespoir du skipper bousculé dans sa manœuvre par un équipier trop brusque. Et lorsqu'il y a contact entre bateaux, ne fût-ce que par un effleurage de voile, il y a toujours disqualification d'au moins un bateau, selon les positions et les manoeuvres respectives . . . *(fig. 7)*.

Ayant donc reçu l'ordre de le faire au bon moment, l'équipier hisse le spi en suivant des yeux sa montée, s'assurant qu'aucune partie de la toile n'accroche quoi que ce soit.

L'équipier du cockpit borde alors la retenue, ramenant le tangon à angle droit du vent apparent (ou il passe cette retenue au barreur après un premier réglage) et borde ensuite l'écoute dès que le spinnaker se gonfle et commence à tirer.

Fig. 6 C'est à l'abri de la grand-voile que le spi se hisse ou s'amène le mieux.

Lorsque la drisse est tournée à son taquet (de préférence un taquet-coinceur) et après réglage de la balancine et du hale-bas, l'équipier du pont se hâte de revenir au cockpit pour s'occuper de la retenue. Lorsque la brise est fraîche, celle-ci est en effet très dure à tenir et un winch n'est pas de trop pour la haler.

L'équipier préposé à l'écoute doit garder les yeux fixés sur le spinnaker et guetter les moindres tendances à faseyer pour border aussitôt l'écoute, puis la filer de nouveau. Un bon équipage n'a pas besoin du barreur pour garder un spinnaker toujours plein et tirant à son maximum, malgré les changements fréquents de direction et de force du vent *(fig. 8)*.

Mais si vous êtes à la barre durant l'entraînement de vos équipiers, vous ferez bien d'avoir l'oeil à tout, car le synchronisme et la coordination des gestes de chacun demandent souvent beaucoup de pratique.

Lorsque le spinnaker tire bien dès qu'il est hissé, l'équipier du pont pourra amener le foc ou le ferler autour de sa draille avant de revenir à son poste dans le cockpit *(fig. 9)*.

On peut aussi hisser le spi sans tangon et crocher celui-ci à la retenue une fois la voile gonflée, mais cette méthode, bien que rapide, pour avoir un spi qui tire aussitôt hissé, peut devenir hasardeuse dans une brise plutôt fraîche qui rend très difficile le crochage au tangon.

Fig. 7   Un spi qui touche un concurrent, et c'est la disqualification!

Fig. 8 L'équipier préposé à l'écoute doit garder les yeux fixés sur le spi et guetter la moindre tendance à faseyer.

Enfin, par vent arrière ou au grand largue, on peut aussi établir le spinnaker *au vent,* ce qui évite d'avoir à crocher la voile au tangon en passant autour de l'étai. Ce sera l'écoute qui, d'avance, fera le tour de l'étai et sera crochée au spinnaker avant de hisser celui-ci.

Fig. 9   Lorsque le spi tire bien, on pourra ferler le foc.

Mais vous devinez tout de suite que pour ne pas voir le spinnaker se coller à l'intérieur de l'étai ou du foc, il faut que l'équipier préposé à l'écoute soit alerte et tire prestement son écoute pour passer le spinnaker en dehors de l'étai au fur et à mesure qu'il est hissé! La moindre erreur de synchronisme peut provoquer un joli gâchis ou même la déchirure du spi s'il s'accroche à l'un des mousquetons du foc avant d'être gonflé en dehors du gréement...

Néanmoins, c'est une technique très utilisée sur les petits bateaux où le poids d'un équipier qui gigote ou rampe à l'avant nuit à la navigation, surtout en course.

COMMENT EMPANNER LE SPINNAKER

Avec un spinnaker moderne, la manœuvre est très simple, puisque les deux côtés de la voile sont semblables.

Il suffit de décrocher le tangon du mât et de le crocher dans ce qui était jusqu'alors le point d'écoute du spinnaker. L'équipier préposé à cette manœuvre attend alors l'ordre d'empannage, maintenant à la main le tangon relié aux deux coins de la bordure du spi, et sans rien déranger à la balancine ni au hale-bas *(fig. 10)*.

Lorsque le skipper annonce l'empannage et passe la grandvoile d'un bord à l'autre, il n'y a plus qu'à libérer le tangon

Fig. 10 Pour empanner, décrocher le tangon du mât et le crocher à l'écoute qui va devenir retenue.

du point de retenue de la voile et à le crocher au mât. Pendant ce temps, l'équipier du cockpit halera son ancienne écoute devenue retenue (ou la passera au barreur après réglage provisoire) et s'occupera de régler l'écoute pour que le spi reste bien gonflé sur la nouvelle amure.

C'est presque un jeu d'enfant de garder le spinnaker rempli lorsque la manœuvre est bien faite, mais il suffit d'une petite erreur pour tout gâcher! Et la tâche de l'équipage se complique singulièrement si le barreur a le malheur de faire son empannage trop brusquement!

COMMENT AMENER LE SPINNAKER

Si vous aviez amené le froc auparavant, rehissez-le ou s'il était ferlé à sa draille, libérez-le.

Autant que possible, surtout si la brise forcit ou souffle en rafales, prenez un cap au vent arrière ou au grand largue qui vous permette de faire pivoter le tangon jusqu'à l'étai pour masquer le spinnaker derrière la grand-voile et le foc.

Le spinnaker perd ainsi presque toute sa force et l'équipier du pont n'a guère de difficulté à décrocher le coin de la voile du tangon et de la retenue.

Tenant d'une main la drisse libérée de son taquet, il pose l'extrémité du tangon sur l'avant du bateau, laisse partir au vent le point d'amure du spinnaker, tandis que l'équipier du cockpit hale rapidement l'écoute et saisit la bordure de la voile.

L'équipier du pont donne alors un peu de mou à la drisse, juste assez pour que son coéquipier puisse saisir toute la bordure du spi, d'un coin à l'autre, puis il file la drisse au fur et à mesure que la toile est amenée, empoignée et dirigée dans la cabine ou le cockpit, en évitant les accrochages *(fig. 11)*.

Après quoi la drisse est décapelée et replacée soit au mât, soit à l'avant du bateau en prenant soin de la passer par l'extérieur du gréement dormant. Il ne reste plus qu'à remettre en place écoute, retenue et tangon, ainsi que balancine et hale-bas.

Fig. 11   Le spi doit être amené en vitesse et sans accrocs.

Tout ceci peut être fait sans hâte, à moins que le bateau ne doive revenir immédiatement au louvoyage, avec la gîte et les embruns propres à cette allure!

Le point critique est évidemment le moment qui suit le décrochage du spi de son tangon, alors que la toile commence à descendre sous le vent de la grand-voile.

Il faut une parfaite coordination entre l'équipier qui file la drisse et celui qui ramasse le spinnaker pour que la toile descende aussi rapidement que possible, mais sans tomber à l'eau ni s'accrocher nulle part.

Lorsqu'on amène le spi avec l'intention de le rétablir par la suite (comme dans les régates), on peut inverser la tâche des équipiers. Celui du cockpit filera la drisse tandis que celui du pont ramassera la toile en la replaçant dans son récipient, bien en ordre, pour que les trois pointes soient prêtes à être crochées à la prochaine occasion.

Mais un spinnaker, surtout de grande taille, se manie moins bien sur un pont que dans une cabine ou un cockpit, et si la brise est un tant soit peu capricieuse, elle se fera un plaisir de compliquer la tâche de l'équipier du pont en lui enlevant la toile des mains au fur et à mesure qu'il essayera de la rentrer . . .!

Une fois de plus, c'est une question de vitesse, d'adresse et de précision dans les gestes. Et pour y arriver, il faut un entraînement systématique.

Vous comprenez sans doute pourquoi les bons équipiers de spinnaker sont rares . . . et recherchés. Pour pouvoir entraîner un tel homme, rien ne vaut l'expérience que vous aurez acquise vous-même.

Vous aurez donc intérêt à apprendre le métier d'équipier de spinnaker sous les ordres d'un barreur d'expérience. Avant de vous risquer au travail de pont, contentez-vous du réglage de l'écoute et observez comment la drisse et le tangon se manient pour établir et amener le spi. Participez à des empannages et faites des expériences avec le ramassage de la toile au moment où on l'amène.

Puis viendra le moment où ce sera votre tour d'aller gréer, établir, empanner, puis amener le spi. Demandez à votre barreur de vous accorder un bon moment de protection pour travailler sous le vent de la grand-voile. Puis faites-vous chronométrer en tâchant de prendre de moins en moins de temps pour la manœuvre, sans rien bâcler.

Lorsque les gestes vous seront devenus familiers (si possible sur des bateaux différents, pour ne pas vous incruster dans une routine ne convenant qu'à un certain gréement), il ne vous restera plus qu'à trouver un barreur qui puisse mener votre bateau, tandis que vous vous entraînerez au maniement de votre propre spinnaker.

Lorsque vous aurez souvent réussi à établir et à amener rapidement votre spi sous le vent de la grand-voile à l'allure du vent arrière, vous pourrez vous risquer à faire ces manœuvres en recevant le vent de plus en plus au largue. Vous constaterez alors que même si vous n'avez aucune compétition en vue, il en va de l'entraînement du spinnaker comme de la voile en général: on n'a jamais fini d'apprendre et de faire des expériences intéressantes.

Procédez comme on le fait pour perfectionner les virements de bord: d'abord par brise légère, puis par vent plus fort ou irrégulier.

Ayant ainsi éprouvé et maîtrisé vous-même les caprices d'un spinnaker, vous serez plus en mesure de former vos équipiers selon vos besoins et en fonction de l'équipement de votre bateau. Vous accepterez les suggestions d'équipiers expérimentés, mais vous connaîtrez de mieux en mieux les réactions de votre bateau et pourrez adopter ou expérimenter des techniques appropriées.

Efforcez-vous au début de vous exercer dans des conditions plutôt faciles, pour pouvoir faire preuve de patience si les manœuvres sont incomplètes ou ratées. Donnez à vos équipiers le temps de s'habituer à ces manœuvres et ne commencez à accélérer la procédure que graduellement, seulement après que les principaux gestes auront été bien coordonnés et bien exécutés la plupart du temps.

Ce n'est qu'en régate qu'il faut absolument tout faire vite et bien, sous peine de se trouver en quelques secondes à la queue d'un peloton. C'est probablement la raison pour laquelle on entend tellement de hurlements lors des parcours aux allures portantes courues avec le spinnaker...

Il y a tant de choses à voir, à prévoir et à faire au même instant et le moindre faux-mouvement peut être tellement gros de conséquences que souvent les langues les mieux pendues n'arrivent pas à rivaliser de vitesse avec les événements!

Non, ce n'est pas la colère qui fait hausser le ton et accélérer le débit de la parole, c'est le désir, aussi bien pour le barreur que pour les équipiers, de se faire entendre malgré le bruit environnant des voiles, des vagues et du matériel. Et si quelques jurons ponctuent parfois les erreurs ou les hésitations commises dans cette sorte de ballet athlétique, personne ne doit s'en formaliser, car ce n'est pas au cours d'efforts parfois violents qu'on peut garder le ton d'une conversation diplomatique ...!

Le spinnaker, répétons-le, n'est pas une voile pour débutants, mais lorsque vous serez prêt à vous entraîner à son maniement et surtout lorsque vous serez parvenu à en faire un auxiliaire docile, vous aurez gagné un galon important dans la hiérarchie qui va du moussaillon au capitaine!

Chapitre XVII

PREMIERS SOINS

Tout navigateur devrait savoir nager et donner des premiers soins en cas d'urgence.

Si vos notions dans ces deux domaines sont encore assez vagues, prenez des cours sans tarder, auprès des sociétés spécialisées comme la Croix-Rouge et l'Association Ambu-lancière Saint-Jean ou procurez-vous le livre de cette Association, intitulé «Secourisme».

Que vous soyiez équipier ou barreur, vous ne savez jamais quand un cas d'urgence se présentera, à votre bord, à terre ou sur un autre bateau.

Si vous êtes propriétaire d'un bateau, rappelez-vous que vous êtes responsable de votre équipage et de vos invités. Même si vous avez déjà appris les mesures d'urgence, ré-chauffez périodiquement vos connaissances en relisant les livres, brochures et revues traitant de ce sujet.

Un livre sur la technique de la voile ne peut évidemment se doubler d'un cours sur les premiers soins. Néanmoins, il nous semble essentiel de décrire ici, en terminant, la technique moderne de réanimation.

LA RÉANIMATION DITE BOUCHE À BOUCHE

Lorsqu'une personne est inconsciente et ne respire plus, il importe de pratiquer la respiration artificielle *sans tarder*. Il faut que la respiration soit redevenue normale (même faible) avant dix minutes, sans quoi le cerveau pourrait être sérieusement ou même fatalement atteint.

Remettez à plus tard le soin des blessures et l'installation du blessé dans un endroit plus confortable, car on meurt beaucoup plus vite d'asphyxie que d'hémorragie.

Appliquez immédiatement la méthode dite «bouche à bouche», la plus recommandée actuellement:

1. Si la personne est tombée à l'eau, mettez-la face contre terre pour chasser l'eau absorbée. Tournez sa tête de côté et nettoyez la bouche, le nez et la gorge avec vos doigts ou de la toile.
   Donnez avec le plat de la main quelques claques rapides sur le dos de la victime, entre les omoplates, pour chasser les muccosités ou les débris qui pourraient obstruer les voies respiratoires.

2. Etendez la victime sur le dos et agenouillez-vous près de sa tête. Mettez votre pouce dans sa bouche et tirez sa mâchoire et sa tête vers l'arrière, en prenant appui avec les doigts sous la mâchoire.

3. Tout en maintenant sa nuque droite, soulevez la mâchoire de la victime vers le haut de la tête pour empêcher la langue d'obstruer la gorge et libérer les voies respiratoires.

4. Pincez le nez de la victime, prenez une profonde inspiration et, plaçant votre bouche sur la sienne, soufflez avec force, environ 20 fois par minute *(fig. 1)*.

5. Dès que la poitrine de la victime se soulève, retirez votre bouche, laissez l'expiration se faire d'elle-même et recommencez à souffler.

Continuez jusqu'à ce que la respiration de la victime ait repris régulièrement. Ne vous découragez surtout pas, car bien des victimes n'ont été ranimées qu'après plusieurs heures d'efforts.

Pendant que vous appliquez cette respiration bouche à bouche, faites-vous aider si possible pour couvrir la victime et l'installer sur des vêtements ou des couvertures, les jambes un peu surélevées.

Gardez la victime au chaud et lorsqu'elle a repris conscience, vous pouvez lui donner un breuvage chaud, mais *non-alcoolique.*

Pour ce qui concerne les autres soins d'urgence le livre «Secourisme», mentionné plus haut, vous donnera tous les détails utiles.

Fig. 1

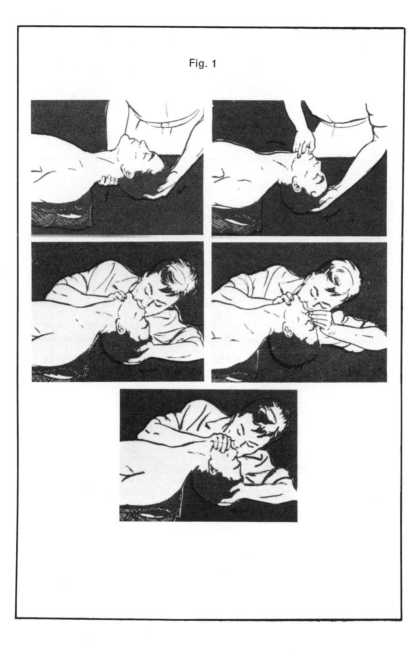

Chapitre XVIII

LE POINT DE VUE D'UNE FEMME

«La voile n'est pas qu'un sport d'action, c'est un art», disions-nous au début de ce livre.

Mais en découvrant les divers aspects de cet art, comme l'art de barrer, l'art de gréer, l'art de percevoir les moindres variations de la brise, l'art de transformer un voilier en un être animé et frémissant, vous conviendrez, ami lecteur, que cet art se double aussi d'une science expérimentale passionnante *(fig. 1)*.

Cependant, au-delà de cet aspect scientifique d'un sport qui, pour la plupart, n'est qu'une forme active de loisir, il y a le côté humain, l'empreinte profonde de la voile sur le caractère, la pensée, le comportement et même les goûts de celui qui s'y adonne.

Cette influence profonde de la voile ne s'exerce pas seulement sur le barreur et sur les équipiers, elle s'étend aussi à leur compagne.

Le temps est passé où la femme, consciente de sa faiblesse physique et de son inexpérience, ne consentait à embarquer sur un voilier qu'à condition d'y trouver une cabine confortable et des serviteurs.

Aujourd'hui, la femme excelle dans de nombreux sports et rivalise même avec l'homme dans plusieurs d'entre eux.

Rien d'étonnant, par conséquent, à ce qu'on la trouve souvent à la barre ou aux écoutes d'un voilier, non seulement en croisière, mais même en régate et, suprême consécration, dans les courses océaniques en solitaire *(fig. 2)*.

Nombreuses sont en effet les jeunes filles et les femmes qui, telles des Valkyries nautiques, mènent leur voilier à l'assaut des vagues, cheveux au vent et les yeux pleins d'embruns.

Fig. 1   Un voilier devient un être animé et frémissant.

Fig. 2 Nombreuses sont les femmes qui font de la croisière et de la régate.

Mais, de même que la bonne écuyère sait aussi se faire palefrenier, ces dames ne se contentent pas des postes de manoeuvre durant la belle saison; de plus en plus, elles partagent avec leurs compagnons les mille travaux et soins que commande un voilier, à flot ou à terre.

L'équipière moderne n'est plus un joujou de luxe ayant peur du mal de mer; elle sait et aime aussi mettre la main à la pâte, et le fait sans perdre pour autant sa féminité ni sa philosophie *(fig. 3)*. Comme son compagnon, elle ressent toutes les émotions que donne la lutte contre les éléments et sait apprécier les qualités que cette lutte suscite.

Témoin cet «Eloge du Yachting», écrit par une «vraie de vraie», Mlle Jeannine Cuvillier, dans une revue nautique:

«L'enjeu de la crise de notre civilisation est l'individu. Cette crise est née de la révolution industrielle dont nous commençons à sentir les effets massifs. Que sera l'homme après mille ans de machinisme? Il n'est aucun aspect de notre vie qui ne soit touché par cette révolution. Comme elle est inéluctable, la question n'est pas de s'y opposer,

Fig. 3   L'équipière moderne sait participer à la manoeuvre.

mais de s'y adapter et d'y accommoder notre idéal de la personne humaine.

«Partout sont en jeu des forces qui contestent à l'individu son ancienne intégrité.

«...Le yachting à voile met l'homme face à face avec ses qualités individuelles. Nul moteur, nulle machine n'interviennent. L'esprit est roi qui dirige et commande. La partie se joue avec le corps, le bateau, les éléments. C'est ici qu'intervient l'individu, chacun ayant une technique à soi qu'il s'agit d'améliorer tout en s'améliorant soi-même.

«Peut-on contester la nécessité des qualités suivantes: réflexion, intuition, volonté, maîtrise de soi, adresse, force, souplesse et tant d'autres ... sans parler du «bon caractère» souvent mis à rude épreuve? Est-il meilleure école où elles soient plus requises?

«Face au machinisme et à son esclavage, quelle libération de se sentir seul maître à bord! Quel refuge de savoir qu'il est des choses sur lesquelles le changement des temps n'a pas de prise!

«...Je crois que le yachting à voile est à peu près le seul domaine où l'homme arrive à dominer, à domestiquer les forces de la nature. Le triomphe de l'homme! Il ne faut point le laisser échapper *(fig. 4)*.

«Ce temps d'arrêt, dans notre course à l'abîme, combien il est utile pour nous retrouver nous-mêmes! Loisir indispensable entre la multiplication des activités stériles, parasitaires ou néfastes, contre le courant de la masse qui fait fuir notre propre personne. Tout concourt dans le cadre de nos vies à nous priver du sentiment d'être une personne responsable. Nous vivons de plus en plus dans un monde de transe collective, nous devenons une machine docile dont les commandes sont extérieures. C'est le début du nivellement.

«Quelle lutte entreprendre pour se conserver? Celle où nous avons l'occasion de nous retrouver. La voile en est une. Comme elle est un art et une manifestation de beauté.

«Il est donc souhaitable que la voile devienne accessible à tous et il est bon d'encourager les efforts dans ce sens.»

Ces pensées ne sont-elles pas celles de la plupart des amateurs de voile? Je le crois.

Fig. 4   La voile permet de dominer les forces de la nature.

Achevé d'imprimer sur les presses de
L'IMPRIMERIE ELECTRA
pour
LES EDITIONS DE L'HOMME LTÉE

Ouvrages parus chez les Éditeurs du groupe Sogides

Ouvrages parus aux ÉDITIONS DE L'HOMME

ART CULINAIRE

Art de vivre en bonne santé (L'),
Dr W. Leblond, **3.00**
Boîte à lunch (La), L. Lagacé, **3.00**
101 omelettes, M. Claude, **2.00**
Choisir ses vins, P. Petel, **2.00**
Cocktails de Jacques Normand (Les),
J. Normand, **2.00**
Congélation (La), S. Lapointe, **2.00**
Cuisine avec la farine Robin Hood (La),
Robin Hood, **2.00**
Cuisine chinoise (La), L. Gervais, **3.00**
Cuisine de maman Lapointe (La),
S. Lapointe, **2.00**
Cuisine des 4 saisons (La),
Mme Hélène Durand-LaRoche, **3.00**
Cuisine française pour Canadiens,
R. Montigny, **3.00**
Cuisine en plein air, H. Doucet, **2.00**
Cuisine italienne (La), Di Tomasso, **2.00**
Diététique dans la vie quotidienne,
L. Lagacé, **3.00**
En cuisinant de 5 à 6, J. Huot, **2.00**
Fondues et flambées, S. Lapointe, **2.00**

Grande Cuisine au Pernod (La),
S. Lapointe, **3.00**
Hors-d'oeuvre, salades et buffets froids,
L. Dubois, **2.00**
Madame reçoit, H.D. LaRoche, **2.50**
Mangez bien et rajeunissez, R. Barbeau, **3.00**
**Recettes à la bière des grandes cuisines
Molson,** M.L. Beaulieu, **2.00**
Recettes au "blender", J. Huot, **3.00**
Recettes de maman Lapointe,
S. Lapointe, **2.00**
Recettes de gibier, S. Lapointe, **3.00**
Régimes pour maigrir, M.J. Beaudoin, **2.50**
Soupes (Les), C. Marécat, **2.00**
Tous les secrets de l'alimentation,
M.J. Beaudoin, **2.50**
Vin (Le), P. Petel, **3.00**
Vins, cocktails et spiritueux,
G. Cloutier, **2.00**
Vos vedettes et leurs recettes,
G. Dufour et G. Poirier, **3.00**
Y'a du soleil dans votre assiette,
Georget-Berval-Gignac, **3.00**

DOCUMENTS, BIOGRAPHIE

Acadiens (Les), E. Leblanc, **2.00**
Bien-pensants (Les), P. Berton, **2.50**
Blow up des grands de la chanson,
M. Maill, **3.00**
Bourassa-Québec, R. Bourassa, **1.00**
Camillien Houde, H. Larocque, **1.00**

Canadians et nous (Les), J. De Roussan, **1.00**
Ce combat qui n'en finit plus,
A. Stanké,-J.L. Morgan, **3.00**
Charlebois, qui es-tu?, B. L'Herbier, **3.00**
**Chroniques vécues des modestes origines
d'une élite urbaine,** H. Grenon, **3.50**

Conquête de l'espace (La), J. Lebrun, 5.00

Des hommes qui bâtissent le Québec, collaboration, 3.00

Deux innocents en Chine rouge, P.E. Trudeau, J. Hébert, 2.00

Drapeau canadien (Le), L.A. Biron, 1.00

Drogues, J. Durocher, 2.00

Egalité ou indépendance, D. Johnson, 2.00

Epaves du Saint-Laurent (Les), J. Lafrance, 3.00

Etat du Québec (L'), collaboration, 1.00

Félix Leclerc, J.P. Sylvain, 2.00

Fabuleux Onassis (Le), C. Cafarakis, 3.00

Fête au village, P. Legendre, 2.00

FLQ 70: Offensive d'automne, J.C. Trait, 3.00

France des Canadiens (La), R. Hollier, 1.50

Greffes du coeur (Les), collaboration, 2.00

Hippies (Les), Time-coll., 3.00

Imprévisible M. Houde (L'), C. Renaud, 2.00

Insolences du Frère Untel, F. Untel, 1.50

J'aime encore mieux le jus de betteraves, A. Stanké, 2.50

Juliette Béliveau, D. Martineau, 3.00

La Bolduc, R. Benoit, 1.50

Lamia, P.T. De Vosjoli, 5.00

L'Ermite, L. Rampa, 3.00

Magadan, M. Solomon, 6.00

Mammifères de mon pays, Duchesnay-Dumais, 2.00

Masques et visages du spiritualisme contemporain, J. Evola, 5.00

Médecine d'aujourd'hui, Me A. Flamand, 1.00

Médecine est malade, Dr L. Joubert, 1.00

Michèle Richard raconte Michèle Richard, M. Richard, 2.50

Mozart, raconté en 50 chefs-d'oeuvre, P. Roussel, 5.00

Nationalisation de l'électricité (La), P. Sauriol, 1.00

Napoléon vu par Guillemin, H. Guillemin, 2.50

On veut savoir, (4 t.), L. Trépanier, 1.00 ch.

Option Québec, R. Lévesque, 2.00

Pellan, G. Lefebvre, 18.95

Poissons du Québec, Juschereau-Duchesnay, 1.00

Pour entretenir la flamme, L. Rampa, 3.00

Pour une radio civilisée, G. Proulx, 2.00

Prague, l'été des tanks, collaboration, 3.00

Premiers sur la lune, Armstrong-Aldrin-Collins, 6.00

Prisonniers à l'Oflag 79, P. Vallée, 1.00

Prostitution à Montréal (La), T. Limoges, 1.50

Québec 1800, W.H. Bartlett, 15.00

Rage des goof-balls, A. Stanké-M.J. Beaudoin, 1.00

Rescapée de l'enfer nazi, R. Charrier, 1.50

Révolte contre le monde moderne, J. Evola, 6.00

Riopelle, G. Robert, 3.50

Taxidermie, (2e édition), J. Labrie, 4.00

Terrorisme québécois (Le), Dr G. Morf, 3.00

Ti-blanc, mouton noir, R. Laplante, 2.00

Treizième chandelle, L. Rampa, 3.00

Trois vies de Pearson (Les), Poliquin-Beal, 3.00

Trudeau, le paradoxe, A. Westell, 5.00

Une culture appelée québécoise, G. Turi, 2.00

Une femme face à la Confédération, M.B. Fontaine, 1.50

Un peuple oui, une peuplade jamais! J. Lévesque, 3.00

Un Yankee au Canada, A. Thério, 1.00

Vizzini, S. Vizzini, 5.00

Vrai visage de Duplessis (Le), P. Laporte, 2.00

ENCYCLOPEDIES

Encyclopédie de la maison québécoise, Lessard et Marquis, 6.00

Encyclopédie des antiquités du Québec, Lessard et Marquis, 6.00

Encyclopédie des oiseaux du Québec, W. Earl Godfrey, 6.00

Encyclopédie du jardinier horticulteur, W.H. Perron, 6.00

Encyclopédie du Québec, Vol. I et Vol. II, L. Landry, 6.00 ch.

ESTHETIQUE ET VIE MODERNE

Cellulite (La), Dr G.J. Léonard, 3.00

Charme féminin (Le), D.M. Parisien, 2.00

Chirurgie plastique et esthétique,
Dr A. Genest, 2.00

Embellissez votre corps, J. Ghedin, 2.00

Embellissez votre visage, J. Ghedin, 1.50

Etiquette du mariage, Fortin-Jacques,
Farley, 2.50

Exercices pour rester jeune, T. Sekely, 3.00

Femme après 30 ans, N. Germain, 2.50

Femme émancipée (La), N. Germain et
L. Desjardins, 2.00

Leçons de beauté, E. Serei, 1.50

Savoir se maquiller, J. Ghedin, 1.50

Savoir-vivre, N. Germain, 2.50

Savoir-vivre d'aujourd'hui (Le),
M.F. Jacques, 2.00

Sein (Le), collaboration, 2.50

Soignez votre personnalité, messieurs,
E. Serei, 2.00

Vos cheveux, J. Ghedin, 2.50

Vos dents, Archambault-Déom, 2.00

LINGUISTIQUE

Améliorez votre français, J. Laurin, 2.50

Anglais par la méthode choc (L'),
J.L. Morgan, 2.00

Dictionnaire en 5 langues, L. Stanké, 2.00

Mirovox, H. Bergeron, 1.00

Petit dictionnaire du joual au français,
A. Turenne, 2.00

Savoir parler, R.S. Catta, 2.00

Verbes (Les), J. Laurin, 2.50

LITTERATURE

Amour, police et morgue, J.M. Laporte, 1.00

Bigaouette, R. Lévesque, 2.00

Bousille et les Justes, G. Gélinas, 2.00

Candy, Southern & Hoffenberg, 3.00

Cent pas dans ma tête (Les), P. Dudan, 2.50

Commettants de Caridad (Les),
Y. Thériault, 2.00

Des bois, des champs, des bêtes,
J.C. Harvey, 2.00

Dictionnaire d'un Québécois,
C. Falardeau, 2.00

Ecrits de la Taverne Royal, collaboration, 1.00

Gésine, Dr R. Lecours, 2.00

Hamlet, Prince du Québec, R. Gurik, 1.50

Homme qui va (L'), J.C. Harvey, 2.00

J'parle tout seul quand j'en narrache,
E. Coderre, 2.00

Mort attendra (La), A. Malavoy, 1.00

Malheur a pas des bons yeux,
R. Lévesque, 2.00

Marche ou crève Carignan, R. Hollier, 2.00

Mauvais bergers (Les), A.E. Caron, 1.00

Mes anges sont des diables,
J. de Roussan, 1.00

Montréalités, A. Stanké, 1.00

Mort d'eau (La), Y. Thériault, 2.00

Ni queue, ni tête, M.C. Brault, 1.00

Pays voilés, existences, M.C. Blais, 1.50

Pomme de pin, L.P. Dlamini, 2.00

Pour la grandeur de l'homme,
C. Péloquin, 2.00

Printemps qui pleure (Le), A. Thério, 1.00

Prix David, C. Hamel, 2.50

Propos du timide (Les), A. Brie, 1.00

Roi de la Côte Nord (Le), Y. Thériault, 1.00

Temps du Carcajou (Les), Y. Thériault, 2.50

Tête blanche, M.C. Blais, 2.50

Tit-Coq, G. Gélinas, 2.00

Toges, bistouris, matraques et soutanes,
collaboration, 1.00

Un simple soldat, M. Dubé, 1.50

Valérie, Y. Thériault, 2.00

Vertige du dégoût (Le), E.P. Morin, 1.00

LIVRES PRATIQUES – LOISIRS

Alimentation pour futures mamans,
T. Sekely et R. Gougeon, **3.00**

Apprenez la photographie avec Antoine Desilets, A. Desilets, **3.50**

Bougies (Les), W. Schutz, **4.00**

Bricolage (Le), J.M. Doré, **3.00**

Cabanes d'oiseaux (Les), J.M. Doré, **3.00**

Camping et caravaning, J. Vic et
R. Savoie, **2.50**

Cinquante et une chansons à répondre,
P. Daigneault, **2.00**

Comment prévoir le temps, E. Neal, **1.00**

Conseils à ceux qui veulent bâtir,
A. Poulin, **2.00**

Conseils aux inventeurs, R.A. Robic, **1.50**

Couture et tricot, M.H. Berthouin, **2.00**

Décoration intérieure (La), J. Monette, **3.00**

Fléché (Le), L. Lavigne et F. Bourret, **4.00**

Guide complet de la couture (Le),
L. Chartier, **3.50**

Guide de l'astrologie (Le), J. Manolesco, **3.00**

Guide de la haute-fidélité, G. Poirier, **4.00**

8/Super 8/16, A. Lafrance, **5.00**

Hypnotisme (L'), J. Manolesco, **3.00**

Informations touristiques, la France,
Deroche et Morgan, **2.50**

Informations touristiques, le Monde,
Deroche, Colombani, Savoie, **2.50**

Insolences d'Antoine, A. Desilets, **3.00**

Interprétez vos rêves, L. Stanké, **3.00**

Jardinage (Le), P. Pouliot, **3.00**

J'ai découvert Tahiti, J. Languirand, **1.00**

Je développe mes photos, A. Desilets, **5.00**

Je prends des photos, A. Desilets, **4.00**

Jeux de société, L. Stanké, **2.00**

J'installe mon équipement stéro, T. I et II,
J.M. Doré, **3.00 ch.**

Juste pour rire, C. Blanchard, **2.00**

Météo (La), A. Ouellet, **3.00**

Origami I, R. Harbin, **2.00**

Origami II, R. Harbin, **3.00**

Ouverture aux échecs (L'), C. Coudari, **4.00**

Poids et mesures, calcul rapide,
L. Stanké, **3.00**

Pourquoi et comment cesser de fumer,
A. Stanké, **1.00**

La retraite, D. Simard, **2.00**

Technique de la photo, A. Desilets, **4.00**

Techniques du jardinage (Les),
P. Pouliot, **5.00**

Tenir maison, F.G. Smet, **2.00**

Tricot (Le), F. Vandelac, **3.00**

Trucs de rangement no 1, J.M. Doré, **3.00**

Trucs de rangement no 2, J.M. Doré, **3.00**

Une p'tite vite, G. Latulippe, **2.00**

Vive la compagnie, P. Daigneault, **3.00**

Voir clair aux échecs, H. Tranquille, **3.00**

Voir clair aux dames, H. Tranquille, **3.00**

Votre avenir par les cartes, L. Stanké, **3.00**

Votre discothèque, P. Roussel, **4.00**

LE MONDE DES AFFAIRES ET LA LOI

ABC du marketing (L'), A. Dahamni, **3.00**

Bourse, (La), A. Lambert, **3.00**

Budget (Le), collaboration, **3.00**

Ce qu'en pense le notaire, Me A. Senay, **2.00**

Connaissez-vous la loi? R. Millet, **2.00**

Cruauté mentale, seule cause du divorce?
(La), Me Champagne et Dr Léger, **2.50**

Dactylographie (La), W. Lebel, **2.00**

Dictionnaire des affaires (Le), W. Lebel, **2.00**

Dictionnaire économique et financier,
E. Lafond, **4.00**

Dictionnaire de la loi (Le), R. Millet, **2.50**

Dynamique des groupes,
Aubry-Saint-Arnaud, **1.50**

Guide de la finance (Le), B. Pharand, **2.50**

Loi et vos droits (La),
Me P.A. Marchand, **4.00**

Secrétaire (Le/La) bilingue, W. Lebel, **2.50**

PATOF

Cuisinons avec Patof, J. Desrosiers, **1.29**
Patof raconte, J. Desrosiers, **0.89**

Patofun, J. Desrosiers, **0.89**

SANTE, PSYCHOLOGIE, EDUCATION

Activité émotionnelle, P. Fletcher, **3.00**
Adolescent veut savoir (L'),
Dr L. Gendron, **3.00**
Adolescente veut savoir (L'),
Dr L. Gendron, **2.00**
Amour après 50 ans (L'), Dr L. Gendron, **2.00**
Apprenez à connaître vos médicaments,
R. Poitevin, **3.00**
Complexes et psychanalyse,
F. Vallincff, **2.00**
Comment vaincre la gêne et la timidité,
R.S. Catta, **2.00**
**Communication et épanouissement
personnel,** L. Auger, **3.00**
Contraception (La), Dr L. Gendron, **3.00**
Couple sensuel (Le), Dr L. Gendron, **$2.00**
Cours de psychologie populaire,
F. Cantin, **$2.50**
Dépression nerveuse (La), collaboration, **2.50**
**Développez votre personnalité,
vous réussirez,** S. Brind'Amour, **2.00**
En attendant mon enfant,
Y.P. Marchessault, **3.00**
Femme enceinte (La), Dr R. Bradley, **2.50**
Femme et le sexe (La), Dr L. Gendron, **2.00**
Guérir sans risques, Dr E. Plisnier, **3.00**
Guide des premiers soins, Dr J. Hartley, **3.00**
Guide médical de mon médecin de famille,
Dr M. Lauzon, **3.00**
Homme et l'art érotique (L'),
Dr L. Gendron, **2.00**

Langage de votre enfant (Le),
C. Langevin, **2.50**
Maladies transmises par relations sexuelles,
Dr L. Gendron, **2.00**
Maman et son nouveau-né (La),
T. Sekely, **3.00**
Mariée veut savoir (La), Dr L. Gendron, **2.00**
Ménopause (La), Dr L. Gendron, **2.00**
Merveilleuse Histoire de la naissance (La),
Dr L. Gendron, **4.50**
Madame est servie, Dr L. Gendron, **2.00**
Parents face à l'année scolaire (Les),
collaboration, **2.00**
Pour vous future maman, T. Sekely, **2.00**
Quel est votre quotient psycho-sexuel,
Dr L. Gendron, **2.00**
Qu'est-ce qu'un homme, Dr L. Gendron, **2.00**
Qu'est-ce qu'une femme, Dr L. Gendron, **2.50**
15/20 ans, F. Tournier et P. Vincent, **4.00**
Relaxation sensorielle (La), Dr P. Gravel, **3.00**
Sexualité (La), Dr L. Gendron, **$2.00**
Volonté (La), l'attention, la mémoire,
R. Tocquet, **2.50**
Vos mains, miroir de la personnalité,
P. Maby, **3.00**
**Votre écriture, la mienne et celle des
autres,** F.X. Boudreault, **1.50**
Votre personnalité, votre caractère,
Y. Benoist-Morin, **2.00**
Yoga, corps et pensée, B. Leclerq, **3.00**
Yoga, santé totale pour tous,
G. Lescouflair, **1.50**
Yoga sexe, Dr Gendron et S. Piuze, **3.00**

SPORTS (collection dirigée par Louis Arpin)

ABC du hockey (L'), H. Meeker, **3.00**
Aérobix, Dr P. Gravel, **2.50**
Aïkido, au-delà de l'agressivité,
M. Di Villadorata, **3.00**
Armes de chasse (Les), Y. Jarretie, **2.00**
Baseball (Le), collaboration, **2.50**
Course-Auto 70, J. Duval, **3.00**

Courses de chevaux (Les), Y. Leclerc, **3.00**
Devant le filet, J. Plante, **3.00**
Golf (Le), J. Huot, **2.00**
Football (Le), collaboration, **2.50**
Football professionnel, J. Séguin, **3.00**
Guide de l'auto (Le) (1967), J. Duval, **2.00**
(1968-69-70-71), 3.00 chacun

Guide du judo, au sol (Le), L. Arpin, **3.00**
Guide du judo, debout (Le), L. Arpin, **4.00**
Guide du self-defense (Le), L. Arpin, **4.00**
Guide du ski: Québec 72, collaboration, **2.00**
Guide du ski 73, Collaboration, **2.00**
Guide du trappeur,
    P. Provencher, **3.00**
Initiation à la plongée sous-marine,
    R. Goblot, **5.00**
J'apprends à nager, R. Lacoursière, **4.00**
Karaté (Le), M. Mazaltarim, **4.00**
Livre des règlements, LNH **1.00**
Match du siècle: Canada-URSS,
    D. Brodeur, G. Terroux, **3.00**
Mon coup de patin, le secret du hockey,
    J. Wild, **3.00**
Natation (La), M. Mann, **2.50**
Natation de compétition, R. LaCoursière, **3.00**
Parachutisme, C. Bédard, **4.00**

Pêche au Québec (La), M. Chamberland, **3.00**
Petit guide des Jeux olympiques,
    J. About-M. Duplat, **2.00**
Puissance au centre, Jean Béliveau,
    H. Hood, **3.00**
Ski (Le), W. Schaffler-E. Bowen, **3.00**
Soccer, G. Schwartz, **3.50**
Stratégie au hockey (La), J.W. Meagher, **3.00**
Surhommes du sport, M. Desjardins, **3.00**
Techniques du golf,
    L. Brien et J. Barrette, **3.50**
Tennis (Le), W.F. Talbert, **2.50**
Tous les secrets de la chasse,
    M. Chamberland, **1.50**
Tous les secrets de la pêche,
    M. Chamberland, **2.00**
36-24-36, A. Coutu, **2.00**
Troisième retrait, C. Raymond,
    M. Gaudette, **3.00**
Vivre en forêt, P. Provencher, **4.00**

Ouvrages parus a
L'ACTUELLE JEUNESSE

Crimes à la glace, P.S. Fournier, **1.00**
Echec au réseau meurtrier, R. White, **1.00**
Engrenage, C. Numainville, **1.00**
Feuilles de thym et fleurs d'amour,
    M. Jacob, **1.00**
Lady Sylvana, L. Morin, **1.00**
Moi ou la planète, C. Montpetit, **$1.00**

Porte sur l'enfer, M. Vézina, **1.00**
Silences de la croix du Sud (Les),
    D. Pilon, **1.00**
Terreur bleue (La), L. Gingras, **1.00**
Trou, S. Chapdelaine, **1.00**
22,222 milles à l'heure, G. Gagnon, **1.00**

Ouvrages parus a
L'ACTUELLE

Aaron, Y. Thériault, **2.50**
Agaguk, Y. Thériault, **3.00**
Allocutaire (L'), G. Langlois, **3.00**
Bois pourri (Le), A. Maillet, **2.50**
Carnivores (Les), F. Moreau, **2.00**

Carré Saint-Louis, J.J. Richard, **3.00**
Centre-ville, J.-J. Richard, **3.00**
Cul-de-sac, Y. Thériault, **3.00**
Danka, M. Godin, **3.00**
Demi-civilisés (Les), J.C. Harvey, **3.00**
Dernier havre (Le), Y. Thériault, **2.50**

Domaine de Cassaubon (Le),
  G. Langlois, 3.00
Dompteur d'ours (Le), Y. Thériault, 2.50
Doux Mal (Le), A. Maillet, 2.50
D'un mur à l'autre, P.A. Bibeau, 2.50
Et puis tout est silence, C. Jasmin, 3.00
Fille laide (La), Y. Thériault, 3.00
Jeu des saisons (Le),
  M. Ouellette-Michalska, 2.50
Marche des grands cocus (La),
  R. Fournier, 3.00
Monsieur Isaac, N. de Bellefeuille et
  G. Racette, 3.00
Mourir en automne, C. DeCotret, 2.50
Neuf jours de haine, J.J. Richard, 3.00

N'Tsuk, Y. Thériault, 2.00
Ossature, R. Morency, 3.00
Outaragasipi (L'), C. Jasmin, 3.00
Petite Fleur du Vietnam, C. Gaumont, 3.00
Pièges, J.J. Richard, 3.00
Porte Silence, P.A. Bibeau, 2.50
Requiem pour un père, F. Moreau, 2.50
Scouine (La), A. Laberge, 3.00
Tayaout, fils d'Agaguk, Y. Thériault, 2.50
Tours de Babylone (Les), M. Gagnon, 3.00
Vendeurs du Temple, Y. Thériault, 3.00
Visages de l'enfance (Les), D. Blondeau, 3.00
Vogue (La), P. Jeancard, 3.00

Ouvrages parus aux
PRESSES LIBRES

Amour (L'), collaboration, 6.00
Amour humain (L'), R. Fournier, 2.00
Anik, Gilan, 3.00
Anti-sexe (L'), J.P. Payette, 3.00
Ariâme . . .Plage nue, P. Dudan, 3.00
Assimilation pourquoi pas? (L'),
  L. Landry, 2.00
Aventures sans retour, C.J. Gauvin, 3.00
Bateau ivre (Le), M. Metthé, 2.50
Cent Positions de l'amour (Les),
  H. Benson, 4.00
Comment devenir vedette, J. Beaulne, 3.00
Couple sensuel (Le), Dr L. Gendron, 2.00
Des Zéroquois aux Québécois,
  C. Falardeau, 2.00
Emmanuelle à Rome, 5.00
Femme au Québec (La),
  M. Barthe et M. Dolment, 3.00
Franco-Fun Kébecwa, F. Letendre, 2.50
Guide des caresses, P, Valinieff, 3.00
Incommunicants (Les), L. Leblanc, 3.00
Initiation à Menke Katz, A. Amprimoz, 1.50
Joyeux Troubadours (Les), A. Rufiange, 2.00
Ma cage de verre, M. Metthé, 2.50
Maria de l'hospice, M. Grandbois, 2.00
Menues, dodues, Gilan, 3.00

Mes expériences autour du monde,
  R. Boisclair, 3.00
Mine de rien, G. Lefebvre, 2.00
Monde agricole (Le), J.C. Magnan, 3.50
Négresse blonde aux yeux bridés,
  C. Falardeau, 2.00
Paradis sexuel des aphrodisiaques (Le),
  M. Rouet, 4.00
Plaidoyer pour la grève et la contestation,
  A. Beaudet, 2.00
Positions +, J. Ray, 3.00
Pour une éducation de qualité au Québec,
  C.H. Rondeau, 2.00
Québec français ou Québec québécois,
  L. Landry, 3.00
Rêve séparatiste, L. Rochette, 2.00
Salariés au pouvoir (Les), Frap, 1.00
Séparatiste, non, 100 fois non!
  Comité Canada, 2.00
Teach-in sur l'avortement,
  Cegep de Sherbrooke, 3.00
Terre a une taille de guêpe (La),
  P. Dudan, 3.00
Tocap, P. de Chevigny, 2.00
Virilité et puissance sexuelle, M. Rouet, 3.00
Voix de mes pensées (La), E. Limet, 2.50

Diffusion Europe

Vander, Muntstraat 10, 3000 Louvain, Belgique

CANADA	BELGIQUE	FRANCE
$2.00	100 FB	12 F
$2.50	125 FB	15 F
$3.00	150 FB	18 F
$3.50	175 FB	21 F
$4.00	200 FB	24 F
$5.00	250 FB	30 F
$6.00	300 FB	36 F